ま　え　が　き

科目「生産技術」は，電気回路，電子回路，制御技術，ロボット技術，生産の自動化技術などの基礎的基本的内容を取り扱っている科目です。このように広い範囲の知識・技術を身につけるには，それに適した学習が必要です。

本書は，教科書「生産技術」（実教出版：工業755）に準拠した演習ノートです。生徒の皆さんが教科書で学んだ内容について，それらの基本的な知識と技術を将来活用できるようにするためには，数多くの類題を解くことが必要です。繰り返し問題を解く過程で理解が深まり，学習した内容がしっかり定着します。その学習を手助けするという意味でこの「演習ノート」は編修されています。

本書を編修するに当たって，次の点に配慮しました。

① 教科書（実教出版）の構成にならって作成しましたが，他の教科書を使っている生徒の皆さんにも使えるよう配慮しました。

② 基本的な内容を中心に問題を作成しました。解答がむずかしい場合には，教科書を復習すれば，解くことができるよう配慮しました。

③ 側注に問題に関するヒントや関連事項を記述しました。問題によっては，それを参考にして解答できるようにしました。

④ 有効数字は，原則として3桁とします。

⑤ 解答編を用意しましたので，自学自習する皆さんは，これを参考にし一つ一つ確認しながら前に進んでください。

以上，この演習ノートが生徒の皆さんの実力養成に役立つことを願っております。

目　次

「生産技術」を学ぶにあたって

1 工業技術の発達 （教科書 p. 6～7）

次の文章は，産業革命以降広く普及した機械の発達について述べたものである。下の解答群から適切な用語を選び，（　　）の中に記入せよ。

(1) 1960 年代に（[1]　　　　　）などの半導体素子がこれまでの真空管から替わった。

(2) （[2]　　　　　）の信頼性や性能が急速に向上し，電気・電子回路を小さな基板に集積した（[3]　　　　　）や，大規模集積回路（LSI）が開発された。

(3) 集積回路の開発により（[4]　　　　　）されたことによって，工業におけるコンピュータの利用が推進され，（[5]　　　　　）の変更だけで，製品の種類や（[6]　　　　　）が変更できるようになった。

➜ コンピュータの利用により，生産システムがどう変わったかを考えよう。

■解答群

小型化，大型化，コンピュータ，プログラム，集積回路（IC），
加工内容，生産方法，トランジスタ

2 工業と社会のかかわり （教科書 p. 7～11）

1 高度経済成長期の「三種の神器」といわれた家庭電化製品をすべて記述せよ。

➜ 人々の生活様式を変えた大量生産について考えよう。

2 次の文章は，生産技術の変遷について述べたものである。下の解答群から適切な用語を選び，（　　）の中に記入せよ。

(1) 1985 年以降，生産は「売れるものを素早くつくる時代」へと大きく変化し，（[1]　　　　　）や（[2]　　　　　），（[3]　　　　　）へと移行しつつある。

(2) 2010 年以降，新たな価値を生み出す分析などに利用する大量のデータが集まった（[4]　　　　　），機械どうしがインターネットを通じて自由なやり取りを可能とする（[5]　　　　　），機械が自ら学習し，高度な判断が可能となる（[6]　　　　　）をキーワードとして，生産形態が構築されてきている。

■解答群

少種多量生産，中種中量生産，多種少量生産，変種変量生産，
混流生産，ビックデータ，ロボット，IoT，AI，インターネット

3 次の文章は，生産設備について述べたものである。下の解答群から適切な用語を選び，(　　)の中に記入せよ。

(1) 電気設備には，([1]　　　　)と，工場に配置されている機械・電熱装置・([2]　　　　)・通信システムなどがある。

(2) 機械設備は，工作機械・ロボット・([3]　　　　)やコンベヤー・クレーンなどの([4]　　　　)・塗装装置などである。

(3) ([5]　　　　)は，太陽光発電設備，工場内の([6]　　　　)・集塵・給排水や衛生・([7]　　　　)・敷地の緑化・([8]　　　　)などの設備である。

➜ 生産設備は，電気設備と機械設備，環境設備に大別されていることを考えよう。

■解答群

搬送装置，リサイクル，環境設備，自動制御，自家発電設備，
空気調和，無人搬送車，防水，防災，照明機器

4 ネットワークを利用した生産工場で，なぜ，プログラミング技術者の果たす役割が重要になってきたか述べよ。

➜ ネットワークを利用した生産工場を考えよう。

3 国際化への対応 (教科書 p. 11～12)

1 次の文章は，国際競争時代について述べたものである。下の解答群から適切な用語を選び，(　　)の中に記入せよ。

(1) 国際競争時代に対応するため，各国が別々に規定していた([1]　　　　)が，1979年，国際標準化機構（ISO）で検討され，2000年，品質管理・([2]　　　　)の分野に関する企業の活動を([3]　　　　)・保証するための国際規格([4]　　　　)シリーズが大きく改正された。

➜ 国際的な競争力として必要なことを考えよう。

(2) 2004年，企業の活動・製品および([5]　　　　)によって生じる([6]　　　　)への影響を改善するため，([7]　　　　)(Plan→Do→Check→Action の繰り返し）を構築することを要求した国際規格([8]　　　　)シリーズも規格改定された。

➜ PDCA サイクルとは何か，を考えよう。

(3) 世界中の企業が，国際的な企業活動を可能にするため，([9]　　　　)によって認証を([10]　　　)している。

■解答群

ISO9000，ISO14000，責任，取得，サービス，品質管理，企業努力，
環境，品質保証，PDCA サイクル，監視，監査

4 ものづくりにおける技術倫理　(教科書 p. 12〜13)

1　次の文章は，ものづくりにおける技術倫理について述べたものである。下の解答群から適切な用語を選び，(　　)の中に記入せよ。

(1)　コンピュータ統括生産（[1]　　　　）システムは，（[2]　　　　）から製品開発・設計，（[3]　　　　），調達，製造，物流，納品など，生産にかかわるあらゆる活動を（[4]　　　　）するものである。

(2)　CIMは，（[5]　　　　）やLAN／（[6]　　　　）でネットワークを組織し，柔軟に生産する（[7]　　　　）システム技術である。

(3)　一元化された組織間のデータベースは，（[8]　　　　）で厳重に守られているが，残念なことに，（[9]　　　　）（技術者）による（[10]　　　　）事件や（[11]　　　　）の侵害や，（[12]　　　　）事件などの不祥事もあった。

(4)　企業人としての（[13]　　　　）を守る姿勢（[14]　　　　）が求められ，各企業で（[15]　　　　）が行われている。

➔ CIMシステムとは何か，を考えよう。

➔ 技術者としての倫理とは何か，を考えよう。

■解答群

偽装，倫理活動，インターネット，ネットワーク，生産者，受注，コンプライアンス，コントロール，知的所有権，CIM，LAN，WAN，モラル，統合化，企業セキュリティ，生産計画，漏洩

2　公益社団法人日本技術士会のホームページから「技術士制度」について検索し，どのような技術部門があるか調べよ。

5 地球環境問題と生産　(教科書 p. 13〜14)

1　循環型の生産システムについて教科書 p. 14 図 15 の例を参考に述べよ。

➔ 地球環境問題を解決するにはどうすべきか，を考えよう。

第1章　直流回路

1　電気回路　(教科書 p. 16〜19)

1　次の文章は，電気回路の基本について述べたものである。下の解答群から適切な用語を選び，(　　)の中に記入せよ。

(1)　乾電池から流れる電流は，時間に対して，大きさと向きが一定であり，このような電流を (1　　　　) という。

　一方，家庭に送られてくる電流は，大きさと向きが周期的に変わる。このような電流を (2　　　　) という。

← AC，DC

(2)　原子は原子核と電子で構成されるが，その電子の中には物質内を自由に動き回る電子がある。これを (3　　　　　　) という。

(3)　電気をよく伝える物質を (4　　　　) といい，電気をほとんど伝えない物質を (5　　　　　　) という。また，電気の伝わり方が導体と絶縁体の中間の物質を (6　　　　　　) という。

← 絶縁体は，導体という用語に対して不導体ともいう。

(4)　右の図1で，豆電球のように，電気エネルギーを他のエネルギーに変えるものを (7　　　　) という。また，乾電池のように，電気エネルギーの供給源となるものを一般に (8　　　　) という。

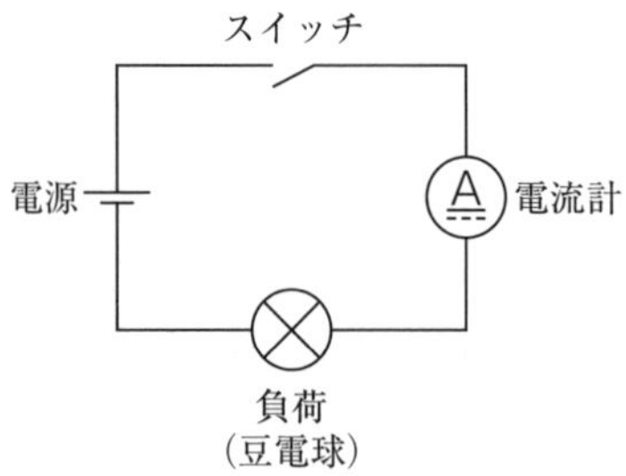

スイッチ
電源
電流計
負荷
(豆電球)

図1

← 電球（ここでは豆電球）の図記号を覚えよう。

■解答群

交流，脈流，直流，半導体，導体，絶縁体，自由電子，正孔，正極，電気抵抗，負荷，電池，電源

2　ある導体の断面を t 秒間に Q [C] の電荷が一定の割合で通過しているという。このときの電流 I [A] は，次式で求められる。(　　)の中に記号を記入せよ。

$$I = \frac{(^{1}\qquad\qquad)}{(^{2}\qquad\qquad)}\ [\mathrm{A}]$$

← 1秒間に2Cの電荷が通過すれば，2Aである。

3　ある導体の断面を5秒間に次に示す電荷が通過した。このときの電流を求めよ。

(1)　5 C　　　(2)　0.1 C　　　(3)　10 mC

4　次の図２は，豆電球の点灯回路について，電圧計と電流計を用いた測定回路（実体配線図）である。電気用図記号を用いて回路図をかけ。

➡ 電圧計，電流計の図記号に気をつけること。

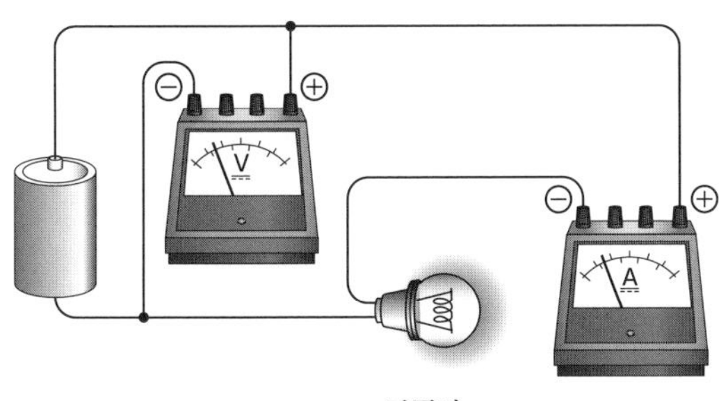

豆電球
図２　実体配線図

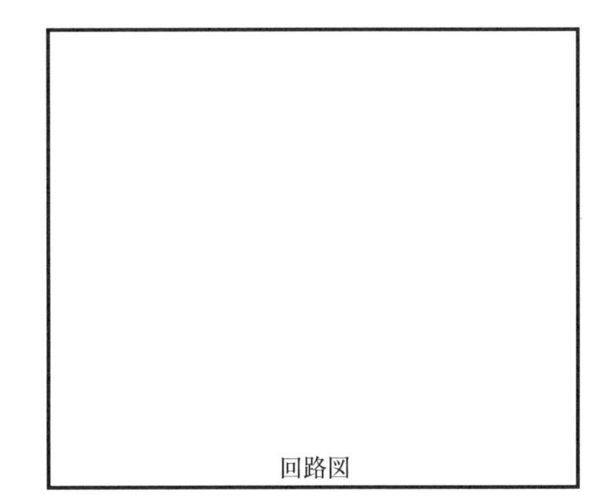

回路図

5　次の文章の（　　）の中に適切な用語を記入せよ。

(1)　電流の流れをさまたげる働きをするものを（1　　　　　）または（2　　　　　）といい，単位には（3　　　）が用いられる。

(2)　電池のように電圧を発生させる働きを（4　　　　　）といい，単位には（5　　　）が用いられる。

6　次の表は，単位の接頭語について，単位記号と読み方を示したものである。（　　）を埋めて表を完成させよ。

➡ MΩをメグオームと読む場合もある。

倍　率	単位記号	読み方	倍　率	単位記号	読み方
10^{-6}	μA	（1　　　　）	10^{6}	MΩ	（4　　　　）
10^{-3}	（2　　）	ミリアンペア	10^{9}	GHz	ギガヘルツ
10^{3}	kΩ	（3　　　　）	10^{-3}	（5　　）	ミリボルト

➡ Hz は周波数の単位である。接頭語 G（ギガ）を覚えよう。

7　次の（　　　　）に適切な数値を記入せよ。

(1)　0.2 mA =（　　　）μA　　(2)　500 mA =（　　　）A

(3)　3 kΩ =（　　　）Ω　　(4)　0.5 MΩ =（　　　）kΩ

(5)　4 mV =（　　　）V　　(6)　2.5 kV =（　　　）V

(7)　0.008 V =（　　　）mV

➡ 1 mV = 0.001 V

(8)　200 000 Ω =（　　　）MΩ

(9)　0.0001 A =（　　　）μA

➡ 1 μA = 0.000 001 A

2 オームの法則 （教科書 p. 20〜35）

1 次の文章は，オームの法則に関するものである。適当な記号または用語を（　　）の中に記入せよ。

(1) 図3において，抵抗 R に電流 I［A］が流れているとき，抵抗 R［Ω］の両端の電圧 V［V］は次の式で表せる。

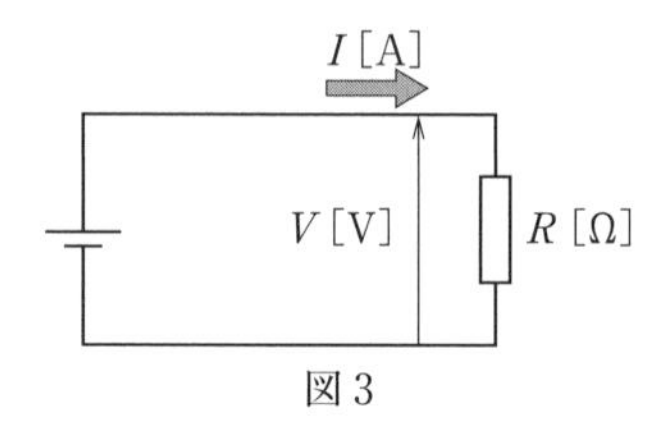

図3

$V =$ (1　　　　　) [V]

(2) 図4において，電圧 V［V］を一定にし，抵抗 R の大きさを変えたとき，回路に流れる電流 I［A］は次の式で表せる。

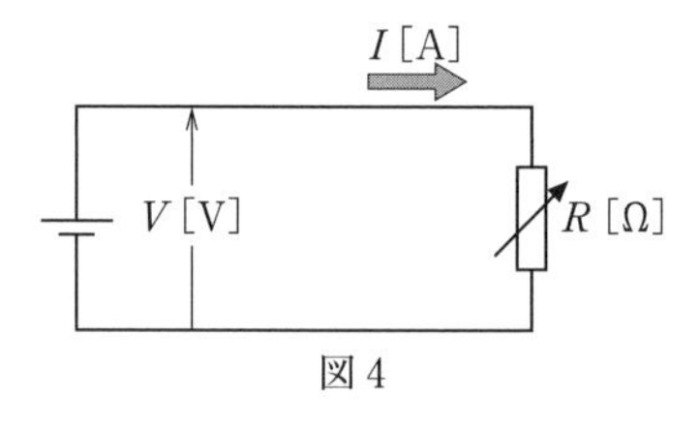

図4

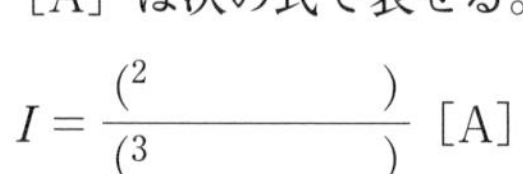

$I = \dfrac{(^{2}\qquad)}{(^{3}\qquad)}$ [A]

(3) 抵抗 R［Ω］の逆数 $\dfrac{1}{R}$ は（4　　　　　）とよばれ，電流の流れやすさを示す。量記号は（5　　　　）であり，単位は（6　　）である。

(4) 抵抗 R［Ω］に電流 I［A］が流れているとき，抵抗によって電圧が（7　　）［V］だけ低くなる。これを（8　　　　）という。

➡ $\dfrac{1}{\text{オーム}}$ = ジーメンス

$\dfrac{1}{[\Omega]}$ = [S]

2 図5の回路において，電源電圧を次の(1)〜(7)に変化したとき，回路に流れる電流 I［A］を求めよ。

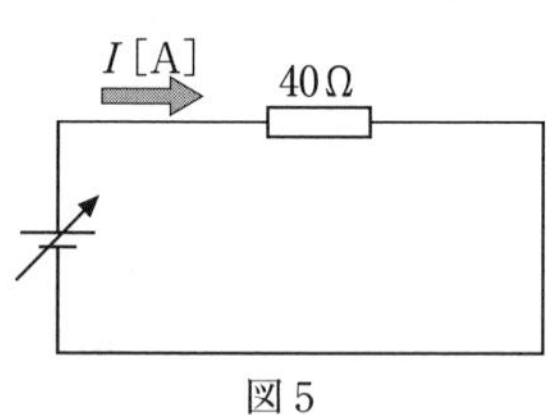

図5

(1) 20 V　　(2) 5 V

(3) 1 V　　(4) 150 mV

➡ 1 000 mV = 10^3 mV = 1 V

(5) 100 V　　(6) 25 V　　(7) 600 mV

➡ 小数点以下の数値の場合は，接頭語をつけた方がわかりやすくなることが多い。

3　図６の回路において，次の(1)〜(5)に示すような電流が流れた。それぞれの場合の抵抗を求めよ。

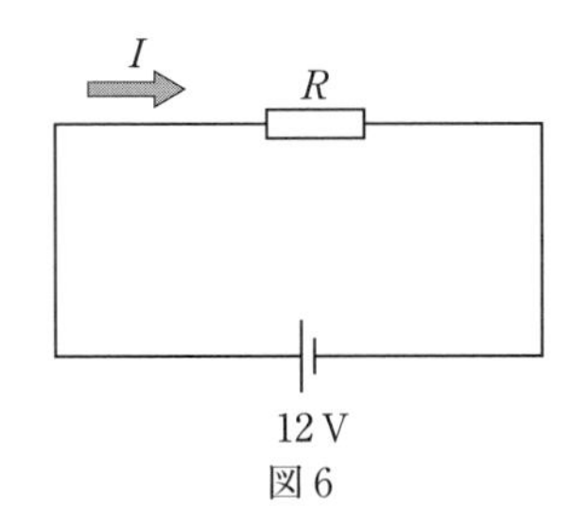

図６

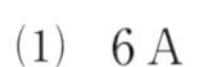
(1)　6 A　　　(2)　2 A

(3)　400 mA　　　(4)　30 mA　　　(5)　12 μA

➔ $1\ \mathrm{mA} = 10^{-3}\ \mathrm{A}$
$1\ \mu\mathrm{A} = 10^{-6}\ \mathrm{A}$

4　図７の回路において，r は電池の内部抵抗，R は負荷である。R に 1.2 A の電流を流したところ，端子電圧が 1.3 V になった。

この電池の内部抵抗を求めよ。ただし，電池の起電力は 1.5 V である。

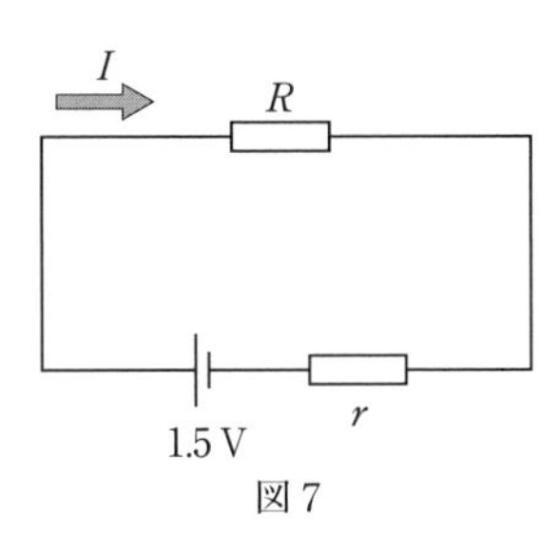

図７

➔ $V = E - rI$
端子電圧　起電力　内部抵抗

➔ 有効数字３桁で表そう。

5　図８の回路において，次の各問に答えよ。

(1)　合成抵抗 R_0［Ω］を R_1，R_2 を用いて表せ。

$R_0 =$ (　　　　　)［Ω］

(2)　$R_1 = 2\ \Omega$，$R_2 = 4\ \Omega$として，合成抵抗 R_0 を求めよ。

$R_0 =$ (　　　　　) Ω

(3)　電源電圧 $E = 12$ V のとき，この回路に流れる電流 I［A］を求めよ。

$I =$ (　　　　　) A

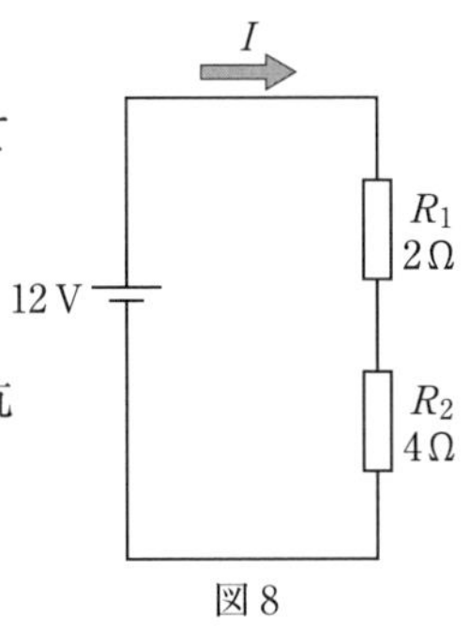

図８

➔ 記号の場合，［　］をつけ，［Ω］として表す。
数値の場合，［　］をつけず，Ωと表す。

6 図 9～図 12 の回路において，ⓐ～ⓑ間の合成抵抗 R_0 を求めよ。

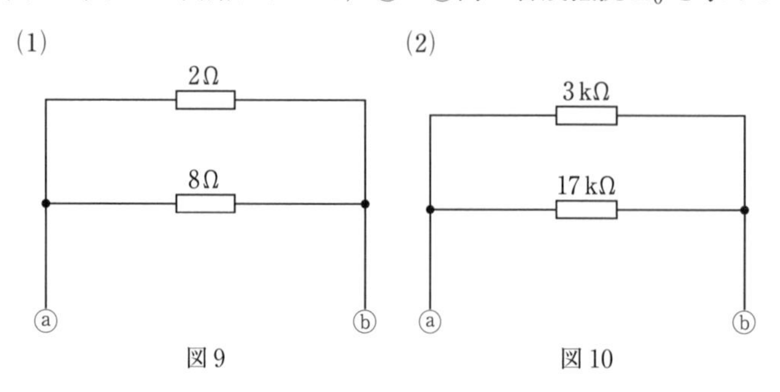

図 9　図 10

➡ 和分の積を用いて計算しよう。

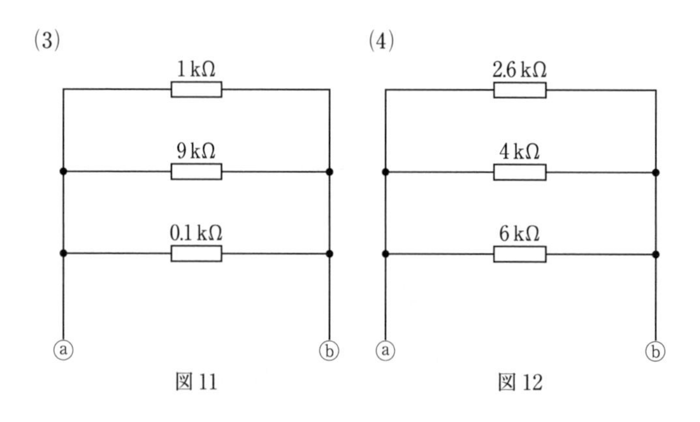

図 11　図 12

➡ 和分の積が適用できるかどうかを考え，適用できそうなところから手をつけよう。

7 図 13 の回路について，次の各問に答えよ。

(1) 合成抵抗 R_0［Ω］を求めよ。

(2) 電流 I_1，I_2［A］を求めよ。

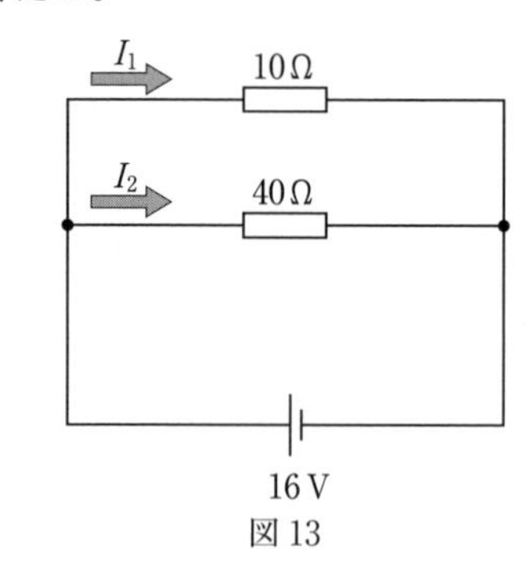

図 13

8　図 14 の回路で抵抗 R_4 を調整して検流計 G の指針の振れが 0 になった。

このとき，R_1，R_2，R_3，R_4 の関係は，どのように表せるか。（　　）の中に適切な記号を記入せよ。

また，$R_1 = 20\,\Omega$，$R_2 = 5\,\Omega$，$R_4 = 12\,\Omega$のとき，ブリッジが平衡した。R_3の値を求めよ。

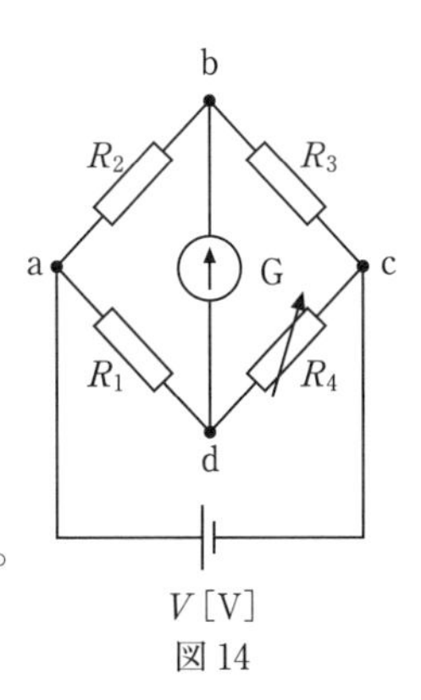

図 14

$R_1\,R_3 =$（1　　　　　　）

ゆえに，$R_3 = \dfrac{(^2\qquad\qquad)}{(^3\qquad\qquad)}$［Ω］

$R_3 =$（4　　　　　　）Ω

➜「たすきがけ」と覚えるとよい。

9　図 15 のブリッジ回路で，ブリッジが平衡したとき，次の各問に答えよ。

⑴　未知抵抗 R を求めよ。

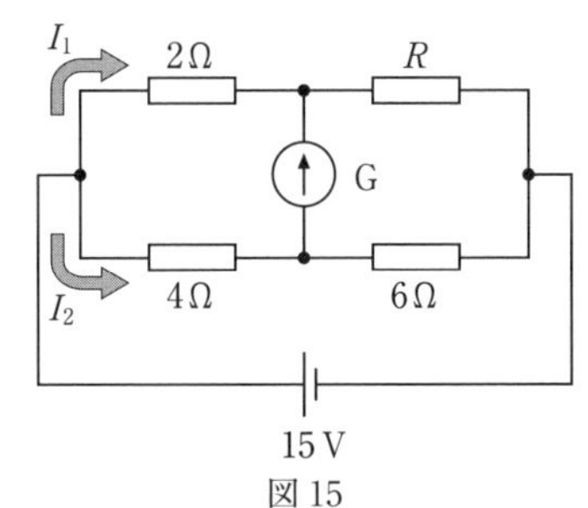

図 15

➜ 図 15 もブリッジ回路である。したがって「たすきがけ」で計算する。

⑵　電流 I_1 を求めよ。

⑶　電流 I_2 を求めよ。

10　図 16 の回路について，次の各問に答えよ。

⑴　点ⓐにおいて，I，I_1，I_2 の関係を求めよ。

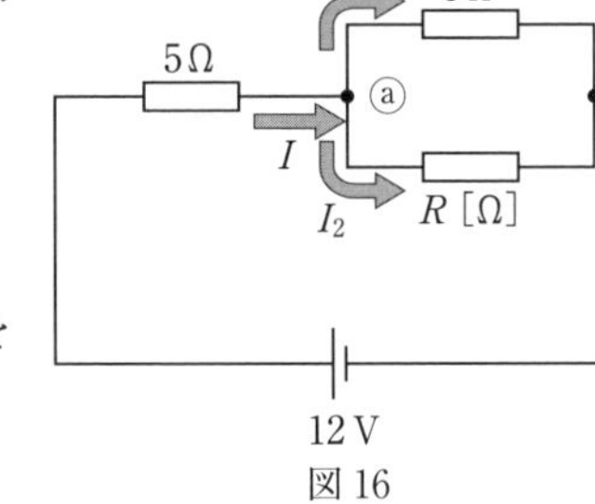

図 16

⑵　$I = 2$ A のとき，I_1，I_2，R を求めよ。

11 図 17 の回路について，次の各問に答えよ。

(1) 接続点ⓐについて，I_1，I_2，I_3 の関係を式で表せ。

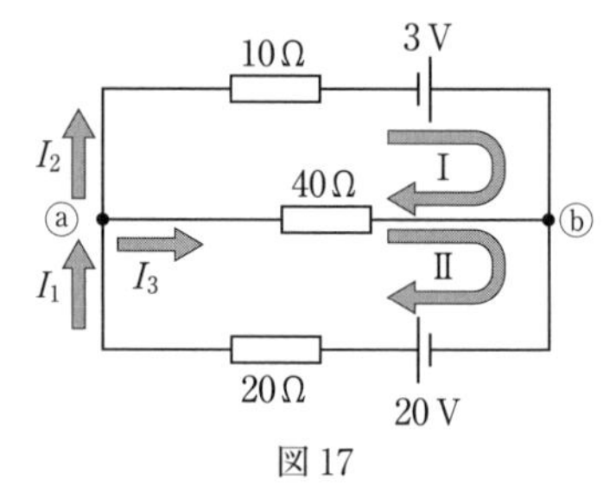

図 17

➜ キルヒホッフの第 1 法則

(2) 閉回路 I について，キルヒホッフの第 2 法則を適用して式をつくれ。

➜ 任意の閉回路において，起電力の和＝電圧降下の和

(3) 閉回路 II について，キルヒホッフの第 2 法則を適用して式をつくれ。

(4) 以上の(1)，(2)，(3)で求めた式を連立方程式としてこれを解き，電流 I_1，I_2，I_3 を求めよ。

(5) ⓐ ⓑ間の電圧を求めよ。

➜ $V = RI$ より求めよ。

3 抵抗の性質　(教科書 p. 36〜39)

1　次の文章は，抵抗について述べたものである。(　　)内を埋めて，正しい文章にせよ。

(1)　長さ l [m]，断面積 A [m^2] の導体 R [Ω] は，次の式で表される。

$$R = \rho \frac{(^1\qquad)}{(^2\qquad)}$$

ただし，ρ（ロー）は導体の抵抗率である。

➡ $\rho = \frac{RA}{l} = \frac{[\Omega][\mathrm{m}^2]}{[\mathrm{m}]} = [\Omega \cdot \mathrm{m}]$

(2)　抵抗率の単位は，(3　　　　)である。

(3)　金属導体の抵抗は，温度上昇によって(4　　　)するが，サーミスタなどの半導体の抵抗は，温度上昇によって(5　　　)する。

(4)　抵抗器には，一定の抵抗値をもつ(6　　　　)，抵抗値を変えることができる(7　　　　)，抵抗値を設定したのちに固定抵抗器として使用する(8　　　　)がある。

➡ 固定抵抗器，半固定抵抗器，可変抵抗器

2　半径が 1.6 mm，長さが次に示す値の銅線がある。この銅線の抵抗率を 1.7×10^{-8} Ω・m として，銅線の抵抗を求めよ。

➡ $R = \rho \frac{l}{A}$ [Ω]

(1)　200 m

(2)　5 km

➡ 銅線でも，距離が長くなると，その抵抗が無視できなくなる。

4 電力と電流の熱作用　(教科書 p. 40〜45)

1　次の文章は，ジュールの法則や電力量等について述べたものである。下の解答群から適切な用語を選び，(　　)の中に記入せよ。

(1)　抵抗 R [Ω] に電圧 V [V] を t [s] 間加えたときに発生する熱量 H は，(1　　　)[J] である。

(2)　抵抗 R [Ω] に電流 I [A] を t [s] 間流したときに発生する熱量 H は，(2　　　)[J] である。

(3)　ある抵抗に電圧 V [V] を加え，電流 I [A] を t [s] 間流したときに発生する熱量 H は，(3　　　)[J] である。

(4)　電力 P [W] を t [s] 間使用したときの電力量 W は，(4　　　)[W・s] である。

■解答群

VRt,　V^2Rt,　RIt,　RI^2t,　VIt,　V^2It,　Pt,　Pt^2,　P^2t,　$\frac{V^2}{R}t$,　$\frac{I^2}{R}t$,　$\frac{V^2}{I}t$

2 次の文章は，熱電気現象について述べたものである。(　　) の中を埋めて，正しい文章にせよ。

(1) 2種類の金属線の両端を接続し，一方の接続点を加熱し，他方の接続点を冷却すると，金属線に起電力が発生し，電流が流れる。このとき発生する起電力を (1　　　　　) といい，流れる電流を (2　　　　　) という。このような現象を (3　　　　　) という。

(2) 2種類の金属線の一端を接続し，電流を流すと，その電流の向きによって接続点で吸熱や発熱が生じる。
このような現象を (4　　　　　) という。

➔ 自動車用冷蔵庫や半導体実験装置などに利用されている。

5 電流の化学作用と電池 (教科書 p. 46～52)

1 次の文章は，電池について述べたものである。下の解答群から適切な用語を選び，(　　) の中に記入せよ。

(1) 化学反応や光などのエネルギーを電気エネルギーに変換する装置を (1　　　　　) という。

(2) 電気エネルギーを放出することを (2　　　　　) といい，外部から電気エネルギーを与えることを (3　　　　　) という。

(3) いったん放電すると，外部から電気エネルギーを与えても，再生できない電池を (4　　　　　) 電池という。

(4) 放電したあと，充電すると再生する電池を (5　　　　　) 電池という。

(5) 自動車に用いられている (6　　　　　) は，代表的な (7　　　　　) 電池である。

(6) ソーラーハウスやソーラーカーの電源には，(8　　　　　) が用いられている。

➔ クリーンエネルギーである。

(7) 水を電気分解すると水素と酸素が得られる。この電気分解の逆の原理によって電気エネルギーを発生させる電池を (9　　　　　) という。

➔ 宇宙船に利用された。

■解答群

電源，電池，電気装置，充電，放電，充放電，一次，二次，三次，アルカリ蓄電池，鉛蓄電池，太陽電池，太陽光電池，電解電池，燃料電池

第２章　磁気と静電気

1　電流と磁気　（教科書 p. 56～59）

1　次の文章は，磁気に関する内容について述べたものである。下の解答群から適切な用語を選び，（　　）の中に記入せよ。

(1)　棒磁石の両端は，磁気がもっとも強いので，とくに（1　　　　　）という。

(2)　磁石には必ず２つの極があり，北を指す方を（2　　　　　），南を指す方を（3　　　　　）という。

(3)　磁石は，吸引力や反発力をもつ。このような力を（4　　　　　）という。

(4)　磁石によって鉄片が磁石になることを（5　　　　　）されるという。

(5)　磁力が働いている空間を（6　　　　　）という。

(6)　棒磁石のＮ極からＳ極へ，目に見えない線が出ている。これを（7　　　　　）という。

(7)　１ Wb の磁極から１本の磁力線の束が出ていると考えたとき，この束を（8　　　　　）という。

(8)　単位面積あたりの磁束を（9　　　　　）という。

■解答群

磁心，磁区，磁極，Ｎ極，Ｍ極，Ｓ極，磁力，磁気，磁化，磁石化，磁空間，磁界，磁石空間，磁束，磁気密度，磁力線，磁束密度，磁力線密度，磁石線

➔ 点磁極は，磁極が１点に集中しているとみなしたときの磁極である。

➔ 吸引力，反発力，磁力

➔ 磁力線は，磁束と異なる。磁束は１ Wb の磁極から，１本出る。

2　図１のように，２個の磁極が２ cm 離れて置いてある。両磁極間に働く磁力の大きさを求めよ。ただし，磁極は空気中に置かれているものとする。

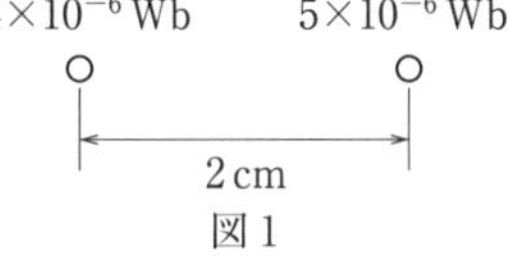

図１

➔ 磁気に関するクーロンの法則は，次式で示される。

$$F = 6.33\times10^{4}\frac{m_1 m_2}{r^2}\ \text{[N]}$$

ただし，上式は真空中（または空気中）で成立する。

3 次に示す磁束が20 cm^2の面積をもつ断面を通っているという。それぞれの磁束密度を求めよ。

(1) 4×10^{-4} Wb

➡ $20\ cm^2 = 20 \times (10^{-2}\ m)^2$
$= 20 \times 10^{-4}\ m^2$

(2) 5.6×10^{-3} Wb

➡ 磁束密度の単位は，ウェーバ毎平方メートル［Wb/m^2］であるが，これをテスラ［T］とする。

4 図2〜図4のように，コイルに電流を流した。電磁石の極性（N極，S極）を，（　　）の中に記入せよ。

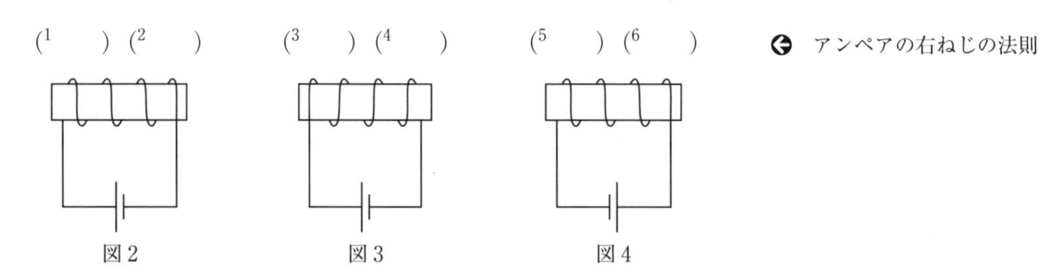

➡ アンペアの右ねじの法則

2 磁気作用の応用 （教科書 p.60〜65）

1 次の文章は，電磁力等について述べたものである。下の解答群から適切な用語を選び，（　　）の中に記入せよ。

(1) 磁界中に導体を置き，これに電流を流すと，導体は力を受ける。この力を（1　　　　）という。

➡ 電流と磁界との間に働く力を電磁力という。

(2) 左手の中指，人差し指，親指をたがいに直角に開いて，中指で（2　　　　）の向き，人差し指で（3　　　　）の向きを指すと，親指の向きが（4　　　　）の向きになる。

この関係を（5　　　　）の左手の法則という。

➡ フレミングの法則には，左手と右手の法則がある。
左（ⓒだり） 力（ⓡき）
右（ⓜぎ） 起電力（ⓚでんりょく）
以上のように関連づけて覚えよう。

■解答群

起電力，電磁力，トルク，電位，電流，電圧，磁束，磁石，電力，ニュートン，アンペア，フレミング

2　図5～図7のように，磁界中に導体が置かれ，導体に電流が流れている。それぞれの場合に導体が受ける電磁力の向きは，①②のどちらか。(　　)の中に記号を記入せよ。

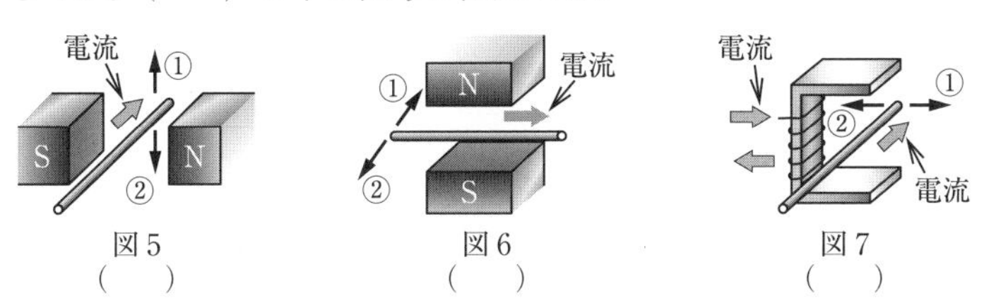

図5　(　　)　図6　(　　)　図7　(　　)

➜ 電磁力の向きは，物理的に磁力線（または磁束）の疎密によって生じるが，一般にフレミングの左手の法則によって求められる。

➜ 図7については，まずN極とS極を定め，次に電磁力を求める。

3　図8は，磁束密度 B［T］の磁界中に，長さ l［m］，幅 d［m］のコイルを置き，OO′軸を中心にコイルが回転するようすを示している。

次の文章の（　　）の中に，下の解答群から適切な用語を選び，記入せよ。

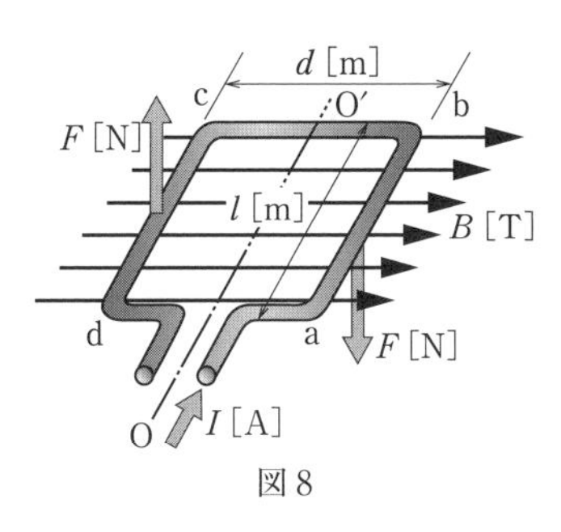

図8

(1)　図8において，コイル辺のabとcdは，磁界の向きに対して垂直である。したがって，この両コイル辺には（[1]　　　）が生じる。また，コイル辺のadとbcは，磁界の向きと平行である。したがって，この両コイル辺には（[1]　　　）が生じない。

(2)　コイル辺abとcdには，たがいに（[2]　　　）の力が生じる。その力の大きさ F は，$F=$（[3]　　　）［N］である。

(3)　この力 F によって，コイルはOO′軸を中心に回転する。この場合の回転力を（[4]　　　　）という。

(4)　トルク T は，力 F と2力間の距離 d の積で表され，単位としては（[5]　　　）が用いられる。

(5)　トルク T は，次の式で表される。$T=F_d=$（[6]　　　）

(6)　コイルの巻数が N のとき，トルクは（[7]　　　）倍になる。

➜ 導体が磁界と垂直な向きにあるとき，電磁力は最大となるが，平行しているとき，電磁力は0となる。

➜ たがいに大きさは等しいが，逆向きに働く力を偶力という。

偶力が作用したときに生じる回転力をトルクという。

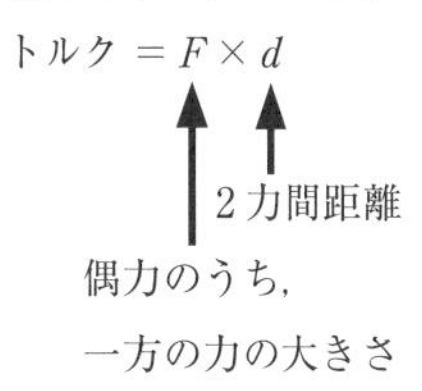

■解答群

起磁力，電磁力，同一，逆向き，トルク，ニュートン，BIl，$BIld$，N，B，F，N・m

4 磁束密度0.2 Tの平等磁界中に，長さ30 cmの導体を磁界に対して垂直に置き，この導体に次に示す大きさの電流を流した。導体に働く電磁力を求めよ。

(1) 10 A

(2) 25 A

➜ $30\,\mathrm{cm} = 30 \times 10^{-2}\,\mathrm{m}$

5 磁束密度2 Tの平等磁界中に，長さ20 cm，幅6 cmのコイルを磁界に対して垂直に置き，この導体に次に示す大きさの電流を流した。コイルに働くトルクを求めよ。

(1) 10 A

(2) 25 A

➜ 直流電動機の原理である。

6 平等磁界中に置かれた1巻きのコイルに働くトルクが，0.2 N・mであるという。コイルの巻数を250にすると，トルクはいくらになるか。

➜ $T = BIld$
コイルの巻数をN巻とすれば，トルクもN倍になる。
$T = NBIld$ [N・m]

7 次の文章は，電磁誘導について述べたものである。適切な用語を（　）の中に記入せよ。

(1) 磁界中にある導体を動かしたり，磁束数を増減したりすると，導体に（1　　　　）が誘導される。この現象を（2　　　　）といい，誘導される（3　　　　）を（4　　　　）という。

(2) 誘導される起電力の大きさは，磁束が単位時間に変化する割合と（5　　　　）の積に比例する。

➜ 直流発電機の原理である。

➜ 電磁誘導に関するファラデーの法則

8　巻数250のコイルと交わる磁束が，0.05秒間に，次の⑴，⑵に示す磁束変化をした。このコイルに生じる誘導起電力の大きさを求めよ。

⑴　0.002 Wb

⑵　0.005 Wb

➜ 誘導起電力の大きさ e は

$$e = N\frac{\Delta\phi}{\Delta t}\ [\mathrm{V}]$$

9　次の文章は，誘導起電力に関する内容について述べたものである。下の解答群から適切な用語を選び，（　　）の中に記入せよ。

⑴　右手の親指，人差し指，中指をたがいに直角に開いて，人差し指で（1　　　）の向き，親指で導体の（2　　　）の向きを指すと，中指の向きが（3　　　）の向きとなる。

この関係を（4　　　　）の右手の法則という。

➜ フレミングの右手の法則

⑵　図９に示すように，コイルに流れている電流を増減すると，コイルと交わっている（5　　　）も変化し，コイルに起電力が生じる。この現象を（6　　　　）といい，生じる起電力を（7　　　　）という。

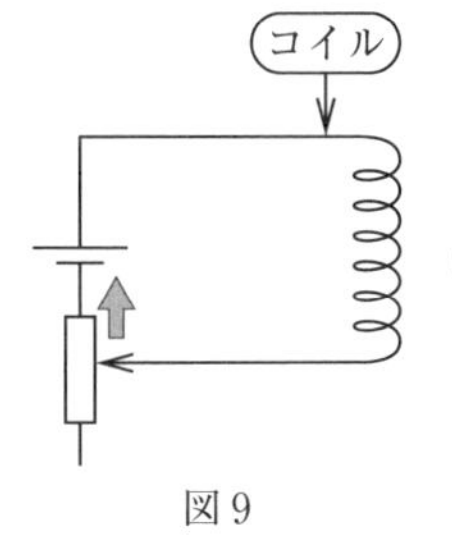

図９

➜ 可変抵抗器を矢印の向きに変化すると，抵抗値が小さくなり，電流が増加し，発生する磁束も増加する。

また，コイルに生じる起電力の大きさは，コイルの形・巻数・材質などによってきまる。

このようなコイル固有の値を（8　　　　）という。

➜ 自己インダクタンス L［H］

■解答群

電流，電圧，磁束，磁力，誘導力，誘導起電力，相互誘導，相互インダクタンス，自己誘導，自己インダクタンス，自己誘導起電力，相互誘導起電力，運動，フレミング

10　あるコイルに流れる電流が，0.1秒間に5 A変化した。自己インダクタンスが8 mHの場合，発生する誘導起電力の大きさを求めよ。

➜ 大きさを求めるので，向きは考えなくてよい。

3 静電気 （教科書 p. 66～74）

1 次の文章は，静電気や静電誘導について述べたものである。下の解答群から適切な用語を選び，(　　) の中に記入せよ。

(1) ガラス棒を絹布で摩擦すると，ガラス棒は電気を帯び，小さな紙片を吸いつける。このように電気を帯びることを (1　　　) といい，電気を帯びた物体を (2　　　) という。

(2) 同種の電荷は (3　　　) し合い，異種の電荷は (4　　　) し合う。このように電荷の間に働く力を (5　　　) という。

(3) 2つの点電荷の間に働く力は，2つの点電荷の (6　　　) に比例し，距離の (7　　　) に反比例する。

この関係を (8　　　) に関するクーロンの法則という。

(4) 図10のように，絶縁された導体Bに正に帯電した導体Aを近づけると，導体BのAに近い側に (9　　　) の電荷，遠い側に (10　　　) の電荷が現れる。

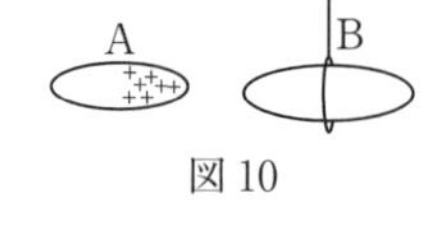

図10

このような現象を (11　　　) という。

➜ 摩擦することにより，摩擦される両者の物体間で，自由電子のやり取りがあり，帯電現象が生じる。

■解答群

電荷，帯電，電帯，帯電質，帯電体，吸引，反発，静電力，和，差，積，2乗，3乗，静電エネルギー，静電気，正，負，磁気誘導，静電誘導，静電遮へい

2 図11のように，2つの点電荷が距離 r [m] だけ離れて空気中に置かれている。r [m] が次の(1)，(2)の場合，その間に働く静電力の大きさを求めよ。

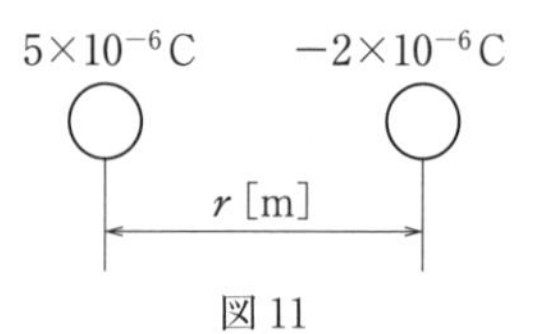

図11

➜ 静電気に関するクーロンの法則は，次式で表される。

$F = 9 \times 10^9 \dfrac{Q_1 Q_2}{r^2}$ [N]

ただし，真空中で（空気中も）この式が適用される。

(1) 5 cm

(2) 10 cm

➜ $(5\,\mathrm{cm})^2 = (5 \times 10^{-2}\,\mathrm{m})^2 = 25 \times 10^{-4}\,\mathrm{m}^2$

3　コンデンサに蓄えられる電荷 Q [C] は，加えた電圧 V [V] に比例する。その比例定数 C をコンデンサの静電容量という。Q，V，C のうち，次の(1)〜(3)のように２つの値が与えられたとき，残りの値を求めよ。

➡ $Q = CV$（カキ は シブい）
「柿は渋い」と覚えよう

(1)　$V = 100\,\mathrm{V}$，$C = 20\,\mu\mathrm{F}$

(2)　$V = 12\,\mathrm{V}$，$Q = 600\,\mu\mathrm{C}$

(3)　$C = 200\,\mathrm{pF}$，$Q = 0.05\,\mu\mathrm{C}$

➡ $1\,\mathrm{pF} = 10^{-12}\,\mathrm{F}$

4　次の（　　）の中に適切な式を記入せよ。

(1)　図 12 において，コンデンサ C_1，C_2，C_3 に蓄えられる電荷 Q_1，Q_2，Q_3 は，

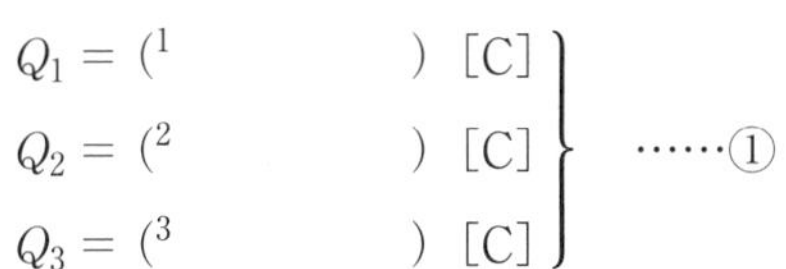

$Q_1 = ($[1]　　　　　$)$ [C]
$Q_2 = ($[2]　　　　　$)$ [C]　……①
$Q_3 = ($[3]　　　　　$)$ [C]

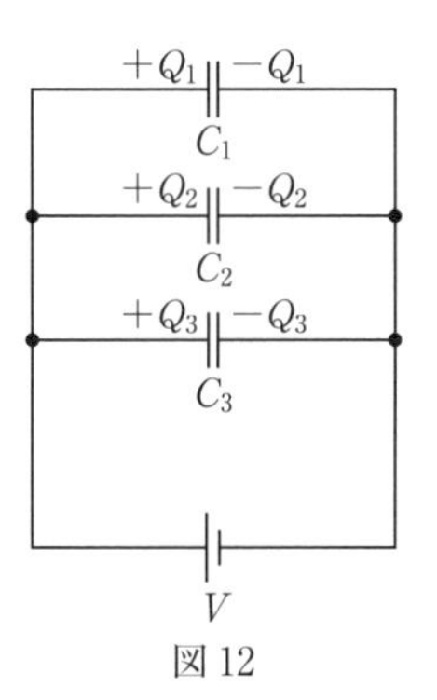

図 12

➡ 蓄えられる電荷は，電圧の大きさに比例する。

➡ コンデンサを並列接続したときの合成静電容量は，個々の静電容量を加えれば求められる。

(2)　コンデンサに蓄えられる全電荷 Q は，Q_1，Q_2，Q_3 を用いて表すと，

$Q = ($[4]　　　　　$)$　……②

(3)　式②に式①を代入して

$Q = ($[5]　　　　　$)$　……③

(4)　したがって，合成静電容量 C_0 は，

$C_0 = ($[6]　　　　　$)$ [F] となる。

5　３個のコンデンサ $2\,\mu\mathrm{F}$，$3\,\mu\mathrm{F}$，$5\,\mu\mathrm{F}$ を並列に接続したときの合成静電容量を求めよ。

6 次の（　　）の中に適切な式を記入せよ。

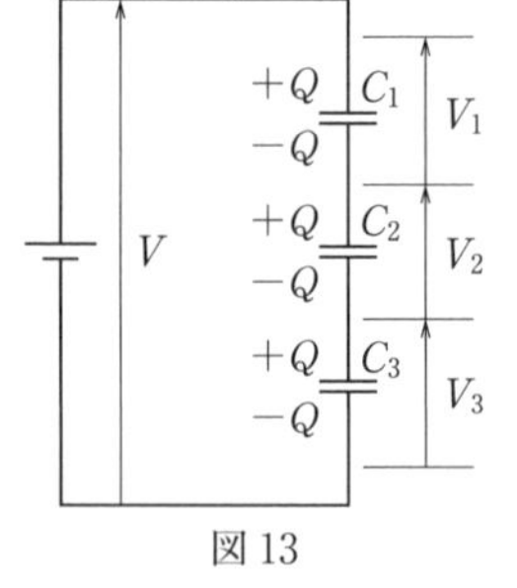

図 13

➔ コンデンサを直列接続したとき，たとえ静電容量が異なっていても，蓄えられる電荷は同じである。

(1) 図 13 において，電源電圧 V［V］は，V_1，V_2，V_3 を用いて次のように表すことができる。

$V =$（1　　　　　　）［V］……①

(2) V_1，V_2，V_3 は，Q，C_1，C_2，C_3 を用いて，

$V_1 = \dfrac{(2\quad\quad)}{(3\quad\quad)}$

$V_2 = \dfrac{(4\quad\quad)}{(5\quad\quad)}$　……②

$V_3 = \dfrac{(6\quad\quad)}{(7\quad\quad)}$

(3) 式①，式②から，V は次のように表せる。

$V =$（8　　　　　　）

$= Q$（9　　　　　　）［V］……③

(4) 式③から，合成静電容量 C_0 は，次の式で表される。

$C_0 = \dfrac{1}{(10\quad\quad)}$［F］

7 図 14 において，$C_1 = 8\ \mu F$，$C_2 = 12\ \mu F$ である。図のように電圧 10 V を加えたとき，次の各問に答えよ。

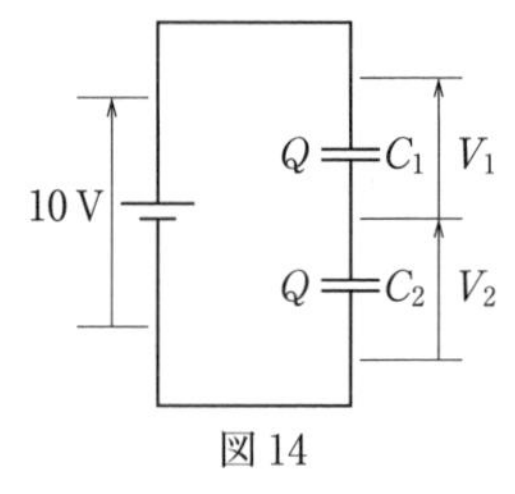

図 14

➔ コンデンサ 2 個を直列接続したとき，その合成静電容量は，「和分の積」で求められる。

(1) 合成静電容量 C_0［F］を求めよ。

(2) 全電荷 Q［C］を求めよ。

(3) コンデンサの端子電圧 V_1，V_2 を求めよ。

第３章　交流回路

1 交流の取り扱い　（教科書 p.78～89）

1　次の文章は，交流回路の基本について述べたものである。下の解答群から適切な用語を選び，（　　）の中に記入せよ。

(1)　交流波形の１サイクルの時間を（[1]　　　　）といい，単位には，（[2]　　　　）が用いられる。

(2)　１秒間に繰り返されるサイクル数を（[3]　　　　）といい，単位には（[4]　　　　）が用いられる。

(3)　角度の単位は，度のほかに（[5]　　　　）が用いられる。

(4)　正弦波交流の値は，時々刻々変化する。そのときどきの値を，（[6]　　　　）という。また，その値のうち最大の値を（[7]　　　　）という。

(5)　交流の電圧や電流の大きさを表すとき，同じ仕事をする直流の電圧や電流の値で表すことがある。この値を（[8]　　　　）という。

(6)　コイルに交流電圧を加えると，コイルは電流の流れをさまたげ，一種の抵抗と同じ働きをする。

この働きを（[9]　　　　）リアクタンスという。

(7)　コンデンサに交流電圧を加えると，コンデンサは充放電を繰り返し，電流が流れる。このとき，コンデンサは電流の流れをさまたげ，一種の抵抗と同じ働きをする。

この働きを（[10]　　　　）リアクタンスという。

■解答群

１周期，周期，周波，周波数，秒，分，時，ヘルツ，オメガ，ラジアン，ステラジアン，実効値，最大値，平均値，抵抗性，容量，容量性，誘導，誘導性，瞬時値

➜ 周波数 f と周期 T の関係

$$f = \frac{1}{T}，T = \frac{1}{f}$$

➜ 一般家庭などで利用している交流電圧 100 V は，直流電圧 100 V と同じ働きをする。

➜ コンデンサは，直流を流すことはできないが，交流を流すことはできる。

2　周波数が次の場合，それぞれの周期を求めよ。

(1)　50 Hz

(2)　60 Hz

(3)　25 kHz

➜ $T = \frac{1}{f}$ [s]

➜ 50 Hz，60 Hz は，商用周波数とよばれる。

3 角度を表す［°］と［rad］の関係について，次の（　　）の中に適切な数値または数値と π を組み合わせたものを記入せよ。

(1) π［rad］＝（1　　　）［°］　(2) 3π［rad］＝（2　　　）［°］

(3) $\dfrac{\pi}{2}$［rad］＝（3　　　）［°］　(4) 30°＝（4　　　）［rad］

(5) 60°＝（5　　　）［rad］　(6) 360°＝（6　　　）［rad］

➔ α° を β［rad］で表すと，次のようになる。

$\beta = \alpha \dfrac{\pi}{180}$［rad］

4 図1の回路において，R = 50 Ω，V = 100 V のとき，回路に流れる電流 I［A］を求めよ。ただし，V は実効値である。

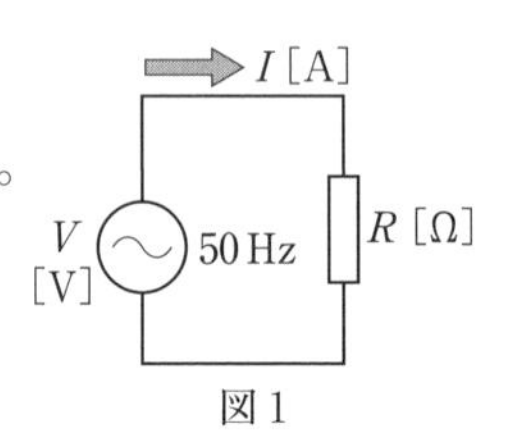

図1

➔ 正弦波交流の電圧，電流を実効値で表すと，負荷が抵抗だけの場合，直流回路と同じように計算できる。

5 図1の回路において，交流電源は周波数が 50 Hz，電圧の実効値が 100 V である。このとき 250 mA（実効値）の電流が流れたとして，抵抗 R［Ω］を求めよ。

6 次の文章は，実効値について述べたものである。下の解答群から適切な用語を選び，（　　）の中に記入せよ。

(1) 図2において，ランプに直流電圧と交流電圧が加えられている。この2個のランプを比較して，交流電圧 $v = V_m \sin \omega t$［V］を加えたとき生じるランプの（1　　　　）が，直流電圧 V［V］を加えたときと同じ場合，この V［V］を交流電圧 v［V］の（2　　　　）という。

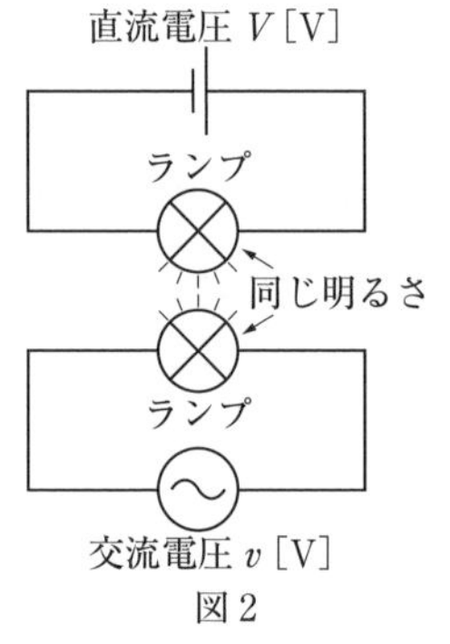

図2

(2) 交流電圧の実効値 V［V］は，最大値を V_m［V］とすれば，次のように表される。

$$V = \frac{V_m}{(^3\qquad)} = (^4\qquad)\ V_m\ [\mathrm{V}]$$

➔ 直流電圧と㊧際に同じ㊨果のある交流電圧の㊩を実効値という。断りがない場合，実効値を使う場合が多い。

➔ 電流の場合，最大値を I_m とすると，

$I = \dfrac{I_m}{\sqrt{2}}$［A］

■解答群

ワット数，大きさ，明るさ，平均値，実効値，$\sqrt{2}$，$\sqrt{3}$，0.707，0.637

7　実効値が 110 V の正弦波交流電圧の最大値を求めよ。

8　実効値および周波数が，次の(1)，(2)の場合，正弦波交流電圧の瞬時値 v [V] を式で表せ。ただし，初期位相は 0 rad とする。

(1)　実効値 100 V，周波数 50 Hz

(2)　最大値 90 V，周波数 60 Hz

➜ 電流の場合，
正弦波交流の瞬時値
$i = I_m \sin \omega t$
$= \sqrt{2}\, I \sin \omega t$
$= \sqrt{2}\, I \sin 2\pi f t$ [A]

9　図3に正弦波交流を示す。次の各問に答えよ。

(1)　i_a，i_b が次の式で表せるとき，i_c はどのような式で表せるか。

$i_a = I_m \sin \theta$ [A]

$i_b = I_m \sin (\theta + \theta_1)$ [A]

$i_c =$ (1　　　　　　　)

(2)　(1)に示した式で，θ や $\theta + \theta_1$ を何というか。

(2　　　　　　　)

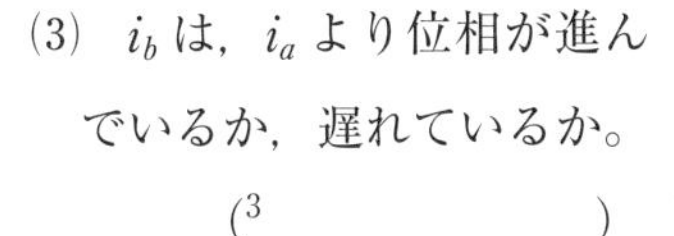

(3)　i_b は，i_a より位相が進んでいるか，遅れているか。

(3　　　　　　　)

図3

(4)　i_c は，i_a より位相が進んでいるか，遅れているか。

(4　　　　　　　)

➜ i_a は i_b より位相が遅れている。または i_b は i_a より位相が進んでいる。

10　抵抗 R [Ω] だけの回路に交流電圧 v [V] を加えた。v のベクトルを $\dot{V}$，流れる電流 i [A] のベクトルを $\dot{I}$ としてベクトル図を右の空欄にかけ。

また，このときの位相関係は，どのようによばれるか。　（　　　　）

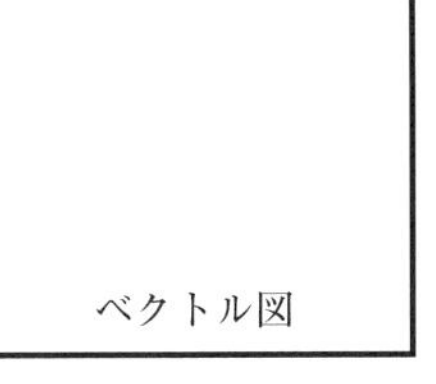

11　図4の交流回路において，周波数60 Hz，実効値100 Vの電圧を加えたところ，実効値が50 mAの交流が流れた。抵抗はいくらか。

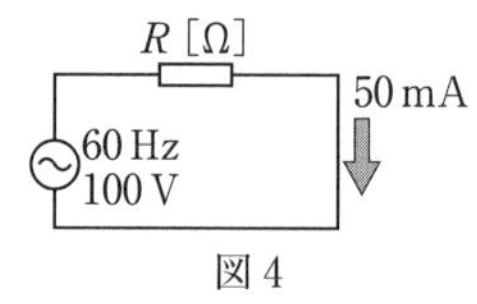

図4

➔ 実効値 V，I を用いれば，

$V = RI$

$R = \dfrac{V}{I}$

12　インダクタンスが200 mHのコイルに，周波数が2 kHzの交流電圧を加えた。この場合の誘導性リアクタンス X_L を求めよ。

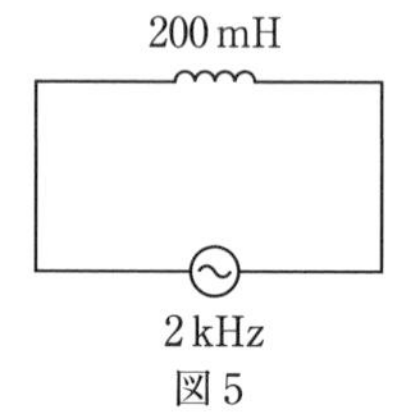

図5

➔ 誘導性リアクタンス X_L

$X_L = 2\pi fL$ [Ω]

13　静電容量が2 μFのコンデンサに，周波数が5 kHzの交流電流が流れている。この場合の容量性リアクタンス X_C を求めよ。

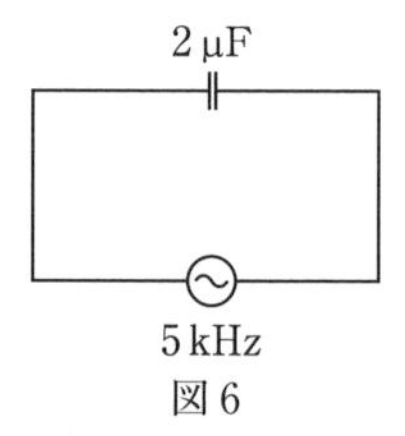

図6

➔ 容量性リアクタンス X_C

$X_C = \dfrac{1}{2\pi fC}$ [Ω]

14　1 kΩの抵抗 R がある。この抵抗に $v = 100\sqrt{2}\sin\omega t$ [V] の交流電圧を加えた。このとき流れる交流 i [A] の実効値 I を求めよ。

また，交流 i [A] を式（瞬時値）で表せ。

➔ v，i，R の関係は，

$i = \dfrac{v}{R}$

であり，交流回路におけるオームの法則である。

15　2 MΩの抵抗 R がある。この抵抗に電圧 $v = 12\sqrt{2}\sin(\omega t + 30°)$ [V] を加えた。このとき流れる交流 i [A] の実効値 I を求めよ。

また，交流 i [A] を式（瞬時値）で表せ。

16　図7の回路において，自己インダクタンスLが60 mH，加えた交流電圧vが次式で与えられるとき，次の各問に答えよ。

$$v = 10\sqrt{2}\sin(2\pi \times 10^3 t)\ [\mathrm{V}]$$

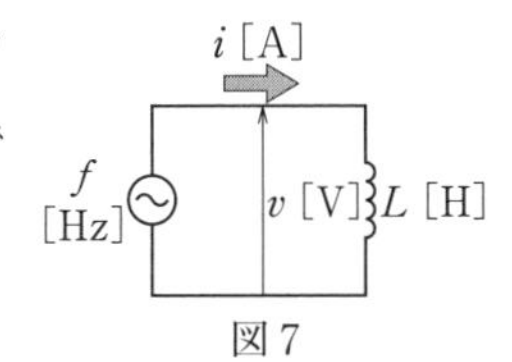

図7

(1)　加えた電圧の実効値を求めよ。

(2)　電源の周波数fを求めよ。

(3)　誘導性リアクタンスX_Lを求めよ。

➔ $X_L = 2\pi fL$ [Ω]

(4)　流れる電流の実効値Iを求めよ。

➔ $I = \dfrac{V}{X_L}$ [A]
ただし，Vは電圧の実効値である。

17　図8の回路において，コンデンサの静電容量が1.6 μF，加えた交流電圧vが次式で与えられるとき，次の各問に答えよ。

$$v = 12\sqrt{2}\sin(40\pi \times 10^3 t)\ [\mathrm{V}]$$

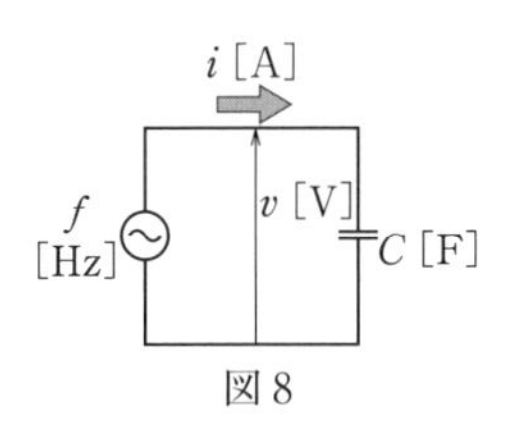

図8

(1)　加えた電圧の実効値を求めよ。

(2)　電源の周波数fを求めよ。

(3)　容量性リアクタンスX_Cを求めよ。

➔ $X_C = \dfrac{1}{2\pi fC}$ [Ω]

(4)　流れる電流の実効値Iを求めよ。

➔ $I = \dfrac{V}{X_C}$ [A]
ただしVは電圧の実効値である。

2 交流回路 （教科書 p. 90〜98）

1 図 9 の回路のように，抵抗 R とコイルを直列接続し，次式で示す電圧 v を加えたところ，電流 i が流れた。次の各問に答えよ。

$$v = 100\sqrt{2}\sin 120\pi t\ [\mathrm{V}]$$

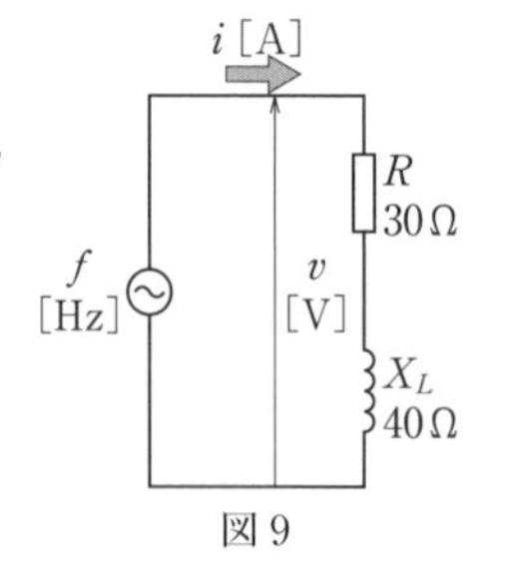

図 9

(1) 電圧 v の実効値を求めよ。

➔ $v = \sqrt{2} \times$ 実効値 $\times \sin \omega t$ [V]

(2) インピーダンス Z を求めよ。

➔ $Z = \sqrt{R^2 + X_L^2}$ [Ω]

(3) 流れる電流 i の実効値 I を求めよ。

(4) 抵抗の両端の電圧 V_R とコイルの両端の電圧 V_L を求めよ。

➔ $V_R = RI$ [V]
$V_L = X_L I$ [V]

(5) 電源電圧の周波数 f [Hz] を求めよ。

(6) 電圧と電流との位相差 θ [rad] を求めよ。

➔ $\theta = \tan^{-1}\dfrac{X_L}{R} = \tan^{-1}\dfrac{V_L}{V_R}$

2 図 10 の回路のように，抵抗 R とコンデンサを直列接続し，次式で示す電圧 v を加えたところ，電流 i が流れた。次の各問に答えよ。

$$v = 20\sqrt{2}\sin 100\pi t\ [\mathrm{V}]$$

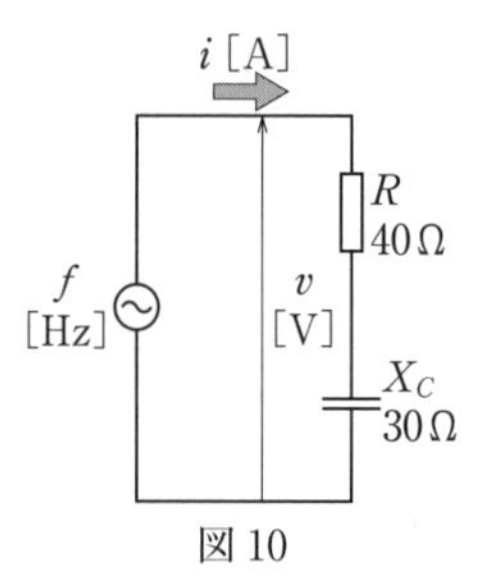

図 10

(1) 電圧 v の実効値を求めよ。

(2) インピーダンス Z を求めよ。

➔ $Z = \sqrt{R^2 + X_C^2}$ [Ω]

(3) 流れる電流 i の実効値 I を求めよ。

(4) 抵抗の両端の電圧 V_R とコンデンサの両端の電圧 V_C を求めよ。

➔ $V_R = RI$ [V]
$V_C = X_C I$ [V]

(5) 電源電圧の周波数 f [Hz] を求めよ。

(6) 電圧と電流との位相差 θ [rad] を求めよ。

➔ $\theta = \tan^{-1}\dfrac{X_C}{R} = \tan^{-1}\dfrac{V_C}{V_R}$

3　次の図 11〜図 15 の回路について，電流のベクトル $\dot{I}$ に対し，電圧のベクトル $\dot{V}_R$，$\dot{V}_L$，$\dot{V}_C$，$\dot{V}$ をかけ。ベクトルの長さは適宜とする。

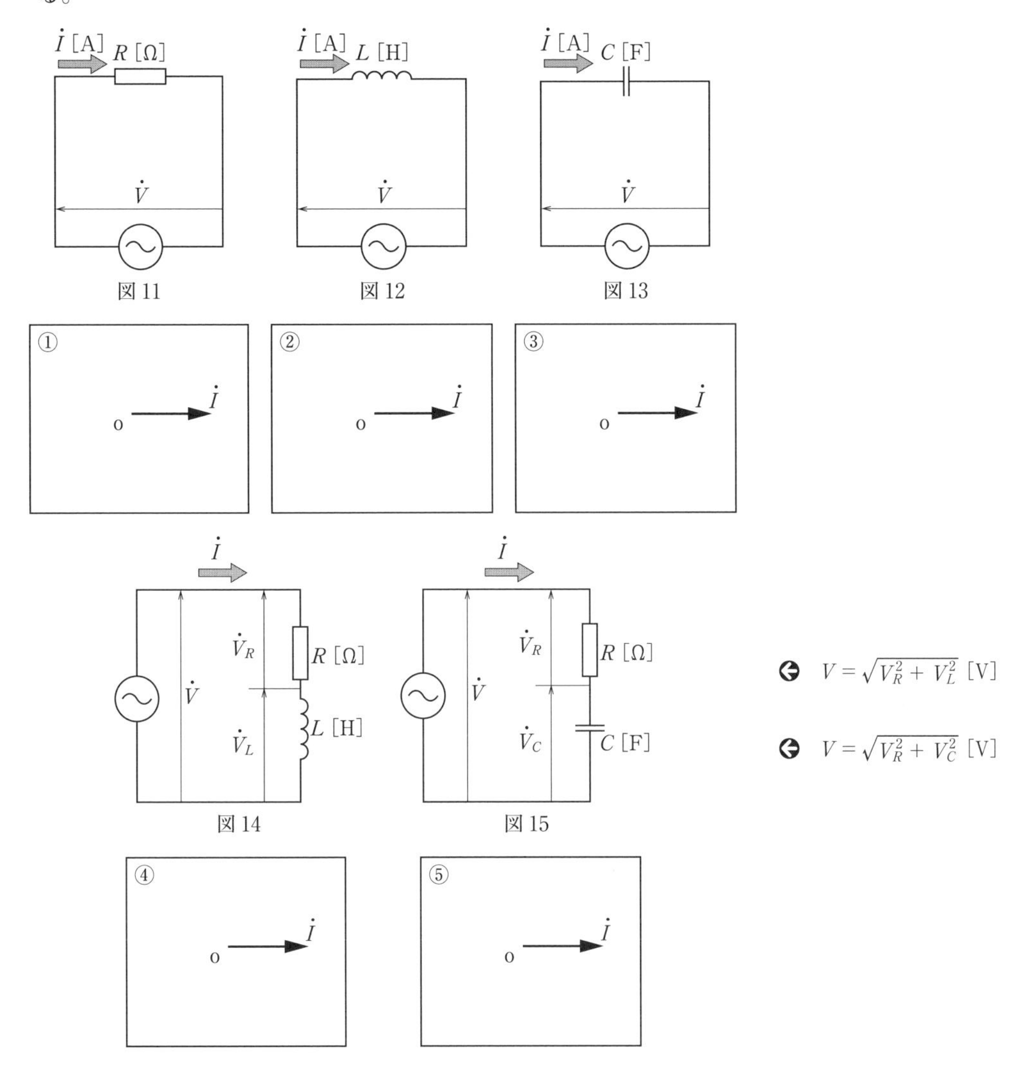

図 11　図 12　図 13　図 14　図 15

4　抵抗 R とコイル L の直列接続回路に正弦波交流電圧 v を加えたところ，交流電流 i が流れたという。

$R = 40\,\Omega$，L の両端の電圧 $V_L = 60$ V，流れる電流の実効値 $I = 2$ A のとき，抵抗 R の両端の電圧 $\dot{V}_R$ に対して，$\dot{I}$，$\dot{V}_L$，$\dot{V}$ のベクトルをかけ。ただし，ベクトルの長さは適宜とする。また，そのときの $\dot{I}$ と $\dot{V}$ を極座標表示で表せ。

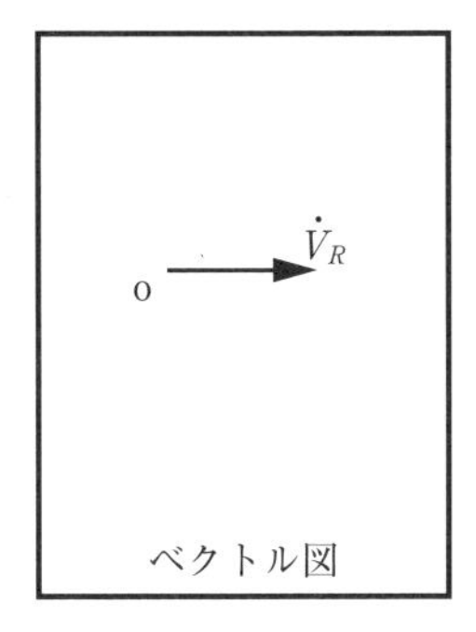

ベクトル図

5 図 16 の RLC 直列回路において，周波数 50 Hz の電流 0.5 A が流れているとき，次の各問に答えよ。

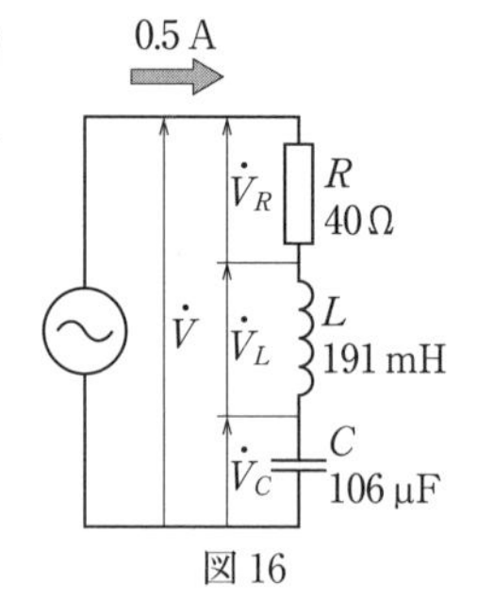

図 16

(1) 誘導性リアクタンス X_L［Ω］を求めよ。

➔ $X_L = 2\pi fL$［Ω］

(2) 容量性リアクタンス X_C［Ω］を求めよ。

➔ $X_C = \dfrac{1}{2\pi fC}$［Ω］

(3) インピーダンス Z［Ω］を求めよ。

➔ $Z = \sqrt{R^2 + (X_L - X_C)^2}$［Ω］

(4) 各素子の端子間電圧 V_R，V_L，V_C および全電圧 V［V］を求めよ。

(5) ベクトル $\dot{V}_R$ を基準にして，$\dot{V}_L$，$\dot{V}_R$，$\dot{V}_C$，$\dot{V}$ および電流 $\dot{I}$ のベクトル図をかけ。また，そのときの $\dot{I}$ と $\dot{V}$ を極座標表示で示せ。

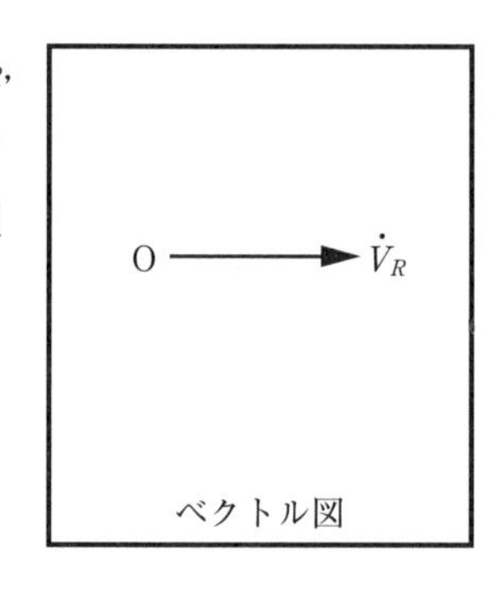

➔ $\dot{V} = \dot{V}_R + \dot{V}_L + \dot{V}_C$ としてベクトル $\dot{V}$ を求める。

6 図 17 の RLC 直列回路において，次の各問に答えよ。

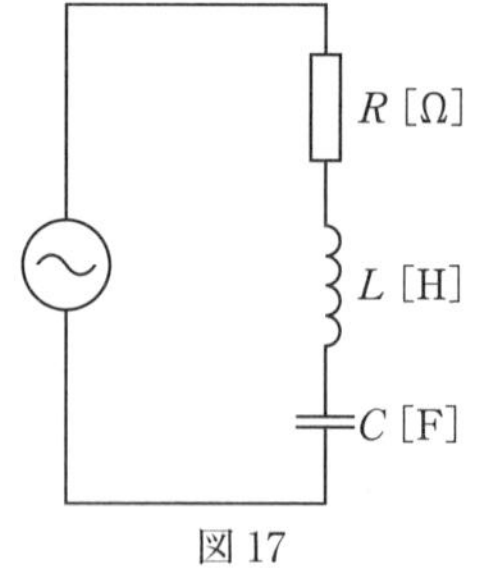

図 17

(1) 直列共振したときの周波数 f_0［Hz］を求める式を書け。

➔ $X_L = X_C$

$2\pi f_0 L = \dfrac{1}{2\pi f_0 C}$ から求める。

(2) L = 10 mH，C = 25 μF のとき，共振周波数 f_0［Hz］を求めよ。

3 交流電力　（教科書 p. 99～102）

1 次の文章は，交流電力について述べたものである。下の解答群から適切な用語を選び，（　　）の中に記入せよ。

(1) 交流電力 P は，次式で表すことができる。

$P = VI\cos\theta$ [W]

ここで，V は（1　　　）を表し，I は（2　　　）を表す。また，$\cos\theta$ を（3　　　）という。

この式で表される交流電力は，（4　　　　）または（5　　　　）という。また，単位には（6　　　）が用いられる。

(2) 交流電力 P を表す式において，VI は見かけ上の電力であり，（7　　　　）といい，単位には（8　　　　）が用いられる。

(3) $P = VI\sin\theta$ は，電力のうち無効分を表すものであり，これを（9　　　　）といい，単位は（10　　　）である。

➔ V・A，ボルトアンペア

➔ 無効電力（単位はバール，var）は，電力としては利用されず，電源側に送り返していると考える。

■解答群

電源，電流，抵抗，電圧，電力，力率，リアクタンス分，皮相電力，ワット，有効電力，無効電力，ボルトアンペア，消費電力，バール

2 次の文章は，力率の改善と単相誘導電動機について述べたものである。下の解答群から適切な用語を選び，（　　）の中に記入せよ。

(1) 無効電力が増えると，無効電流が増加し，同じ有効電力を送るのに大きな電流を流さなければならない。そのため電源側における（1　　　　）などの設備を大きくしなければならない。

(2) この電動機に用いられるコンデンサは，機器に（2　　　　）に接続され，（3　　　　）を改善する働きがある。このコンデンサは，（4　　　　）とよばれる。

(3) 工場で使われている換気扇や小形ポンプなどに利用される単相誘導電動機には，いろいろな種類がある。そのうち最もよく使われているものに，（5　　　　　　　　）がある。

(4) この電動機は単に（6　　　　　）ともいう。

➔ 無効電力を小さくするためには，無効電流を少なくする必要がある。そのためにコンデンサを用いて力率の改善を行う。

■解答群

コンデンサモータ，コンデンサ始動誘導電動機，力率，直列，並列，進相コンデンサ，変成器，変圧器，無効率

4 三相交流 （教科書 p. 103～106）

1 次の文章は，三相交流について述べたものである。下の解答群から適切な用語を選び，（　　）の中に記入せよ。

(1) 周波数と大きさが等しく，位相が $\frac{2}{3}\pi$ [rad] ずつずれた三相の交流を（1　　　　　）という。

(2) 三相交流の電源と負荷の結線法には，（2　　　　　）と（3　　　　　）がある。

➜ Y 結線（星形結線）
Δ 結線（三角結線）

(3) 各相に加わる電圧を（4　　　　）電圧といい，各相を流れる電流を（5　　　　　）という。

(4) 三相の各線間に加わる電圧を（6　　　　）電圧といい，各線に流れる電流を（7　　　　　）という。

■解答群

三相誘導起電力，対称三相交流，Y 結線，Δ 結線，線間，線，相間，相，相電流，線電流

5 回転磁界と三相誘導電動機 （教科書 p. 107～112）

1 周波数 f [Hz]，極数 P の三相誘導電動機がある。この電動機の同期速度 N_s [min^{-1}] を表す式を書け。

また，回転子の速度を N [min^{-1}] として，すべり s を% で表す式を書け。

$N_s =$

$s =$

➜ 回転磁界の速度

$N_s = \frac{120f}{P}$ [min^{-1}]

N_s：同期速度

P：極数

f：周波数

min^{-1}：1 分間の回転数

2 周波数が 60 Hz，極数が 4 の三相誘導電動機がある。この電動機の同期速度 N_s [min^{-1}] を求めよ。

3 同期速度 1 500 min^{-1}，負荷時の速度が 1410 min^{-1} のとき，すべり [%] を求めよ。

➜ すべり s

$s = \frac{N_s - N}{N_s} \times 100$ [%]

N：回転速度

4 周波数が 50 Hz，極数が 6 の三相誘導電動機の回転速度 N [min^{-1}] を求めよ。ただし，すべりを 4% とする。

6 電気設備 （教科書 p. 113～124）

1 次の文章は，電力供給システムについて述べたものである。下の解答群から適切な用語を選び，（　　）の中に記入せよ。

(1) 発電所でつくられた電力は，発電所から工場や家庭などに供給される。発電所では 154 kV などの（[1]　　　　）とよばれる電圧が発生するが，一次変電所→二次変電所→三次変電所としだいに下げ，必要な電圧にして（[2]　　　　）によって分配される。

➜ たとえば，次のように電圧を下げていく。
154 kV→66 kV→22 kV→3.3 kV→100 V/200 V

(2) 同じ電力を送るのに，電圧を高くすると（[3]　　　　）を小さくすることができる。

(3) 電気エネルギーを得る方法としては，回転発電機を用いる方式，および直接発電方式として，（[4]　　　　），（[5]　　　　），（[6]　　　　），（[7]　　　　），（[8]　　　　），（[9]　　　　）などがある。

➜ 海水の干満差を利用して発電するものを潮力発電という。

(4) 高所からの水の落下を利用する発電を（[10]　　　　）という。

(5) 石油・重油・LNG などの燃料を燃焼させ，その熱で水蒸気をつくって，これを利用する発電を（[11]　　　　）という。

(6) 自然の風力を利用する発電を（[12]　　　　）という。

(7) ウラン（U）などの核燃料の分裂の際に発生するエネルギーを利用する発電を（[13]　　　　）という。

(8) 地熱による噴出蒸気を利用する発電を（[14]　　　　）という。

(9) 太陽の光線を利用する発電を（[15]　　　　）という。

(10) 水素と酸素の電気化学反応を利用する発電を（[16]　　　　）という。

(11) 動植物に由来する有機物から得られるエネルギーを利用する発電を（[17]　　　　）という。

■解答群

高圧，特別高圧，送電線，配電線，電圧，電流，水力発電，
風力発電，原子力発電，波力発電，地熱発電，太陽光発電，
バイオマス発電，水素発電，火力発電，燃料電池発電

2 7000 V を超える電圧を何というか。

➜ 600 V を超え，7000 V 以下の交流電圧を高圧という。

3 600 V 以下の交流電圧を何というか。

4 次の文章は，変圧器・配電方式・受電設備について述べたものである。下の解答群から適切なものを選び，(　　) の中に記入せよ。

⑴ 図 18 に示すように，変圧器のコイルは，電源側と負荷側に巻かれている。電源側のコイルを (1　　　) といい，負荷側のコイルを (2　　　) という。

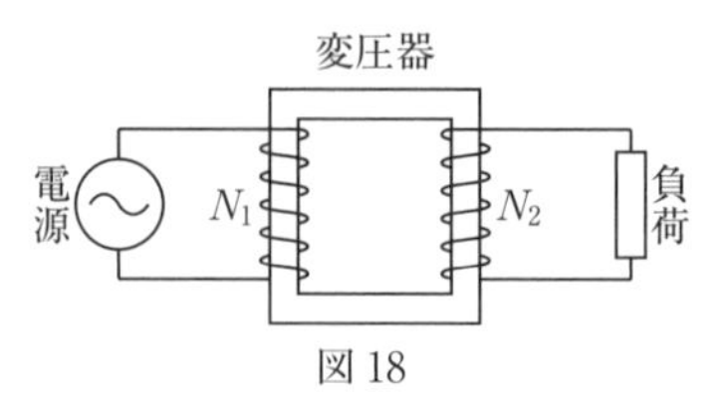

図 18

➡ N_1 の 1 は 1 次側を，N_2 の 2 は 2 次側を意味する。

➡ $\frac{N_1}{N_2} = a$，a を巻数比という。

⑵ 電源側の巻数を N_1，負荷側の巻数を N_2 とすれば，N_1 と N_2 の比を (3　　　) または (4　　　) という。

⑶ 発電所で発電した電力を配電変電所に送ることを (5　　　) といい，配電変電所から工場・商店・家庭などに送ることを (6　　　) という。

➡ 発電所→配電発電所（送電）
配電変電所→家庭（配電）

⑷ 代表的な配電方式には，単相 2 線式（100 V）のほかに，単相では (7　　　)，三相では (8　　　) がある。

⑸ 単相 2 線式（100 V）は，一般に電流が (9　　　) 以下の場合に用いられる。

⑹ 単相 3 線式は，(10　　　) V と (11　　　) V の 2 種類の電圧が利用できる。

⑺ 単相 3 線式は，100 V 回路が (12　　　) 回路あるので，電気容量の大きなエアコンディショナや電子レンジなどを使うときに便利である。

⑻ 三相 3 線式の受電電圧は，(13　　　) V である。

⑼ 三相 3 線式は，工場の動力用などとして広く用いられている (14　　　) の駆動に利用される。

➡ 工場の動力用は，200 V が一般によく使われる。

⑽ 電力の供給を受けた工場やビルなどには，変電・配電を行う設備がある。このような設備を (15　　　) という。1 つの箱に小規模な受電設備を収めたものを (16　　　) という。

■解答群

巻線，一次巻線，二次巻線，変電比，変圧比，巻数比，巻線比，変電，配電，送電，単相 100 V 式，単相 3 線式，三相 3 線式，30 A，50 A，70 A，100，150，200，2，3，受電設備，受電装置，三相誘導電動機，キュービクル受電設備

5　次の文章は，電動機について述べたものである。下の解答群から適切な用語を選び，（　　）の中に記入せよ。

(1)　直流電源によって駆動する永久磁石電動機は，（1　　　　　）などに用いられる。

(2)　直流電源によって駆動する直巻電動機は，（2　　　　　）などに用いられる。

(3)　堅牢で保守が簡単な三相誘導電動機は，（3　　　　　）などに用いられる。

(4)　小形で取り扱いが簡単な単相誘導電動機は，（4　　　　　）などに用いられる。

■解答群

電車用電動機，産業用ロボット，小形ポンプ，プリンタ，カメラ，旋盤

6　次の文章は，電熱設備について述べたものである。下の解答群から適切な用語を選び，（　　）の中に記入せよ。

(1)　焼入れや鍛造など，金属の加熱に利用するもので，変化する磁界により加熱したい金属の中に起電力を誘導し，それによって流れる電流で加熱するという加熱方式を（1　　　　　）という。

(2)　非金属の加熱に利用するもので，非常に高い周波数の電波を加熱したい物体に当て，物体中の分子に激しい振動を起こして加熱する方式を（2　　　　　）という。

(3)　乾燥機や電気炉などに利用するもので，電流を抵抗に流したとき発熱する熱を用いて加熱する方式を（3　　　　　）という。

■解答群

抵抗加熱，誘導加熱，誘電加熱

➜ 加熱したい物体を直接熱して加熱する方式を直接加熱という。
　空気など周囲のものを加熱し，加熱したい物体に接触して加熱する方式を間接加熱という。
　抵抗加熱は間接加熱といえる。

7　照明に関する次の各問に答えよ。

(1)　一般に細かい作業をする場合の照度は，何ルクス以上か。
（　　　　　　　）

(2)　部屋全体を照明する方式の名称を書け。（　　　　　）

(3)　作業する場所を局部的に照明する方式の名称を書け。
（　　　　　）

(4)　光源から出る光の量を何というか。単位も書け。
量：（　　　　　）　単位：（　　　　　）

➜ 一般に，照度が 750 lx 以上が必要とされている。

➜ 全般照明と局部照明の組合わせが望ましい。

8 次の文章は，照明用光源について述べたものである。下の解答群から適切な用語を選び，(　　)の中に記入せよ。

(1) 白熱電球は，フィラメントに (1　　　) を流すと，フィラメントが高温になって発光するものである。光の色が暖かく，寿命が (2　　) い。

(2) 蛍光放電ランプは，(3　　　　　) によって電子を水銀ガスに衝突させ，発生した (4　　　　　) を蛍光膜で可視光にする。蛍光体の種類によって (5　　　　　) を変えることができる。寿命が (6　　　　　) い。

(3) 発光ダイオード電球は，(7　　　　　) 部に電流を流すと発光する半導体を実用的な明るさになるように多数並べて構成されている。(8　　　　　)・省電力・小型軽量で，寿命が (9　　　　　) い。

■解答群

電圧，電流，ひじょうに長，長，短，加熱，放電，紫外線，赤外線，pn 接合，色，低，高，省エネルギー

➔ 白熱電球は，食堂用に適したランプである。

➔ 蛍光灯は，食堂以外の室内照明に適している。

9 屋内配線について答えよ。

(1) 次に示すA列は，屋内配線用の図記号である。①～⑦に対応するものをB列から選び，その記号を (　　) の中に記入せよ。

A列			B列	
①	――――	(　　)	a	電磁開閉器用押しボタン
②	-------	(　　)	b	床いんぺい配線
③	Ⓜ	(　　)	c	天井いんぺい配線
④	[S]	(　　)	d	電動機
⑤	⊠	(　　)	e	配電盤
⑥	⊙B	(　　)	f	電力量計
⑦	[Wh]	(　　)	g	開閉器

➔ M は motor（電動機）を表す。

➔ S は switch（開閉器）を表す。

➔ B は button（ボタン）を表す。

➔ Wh は watt hour（ワットアワ）を表す。

(2) 下の単線図を複線図に直しなさい。

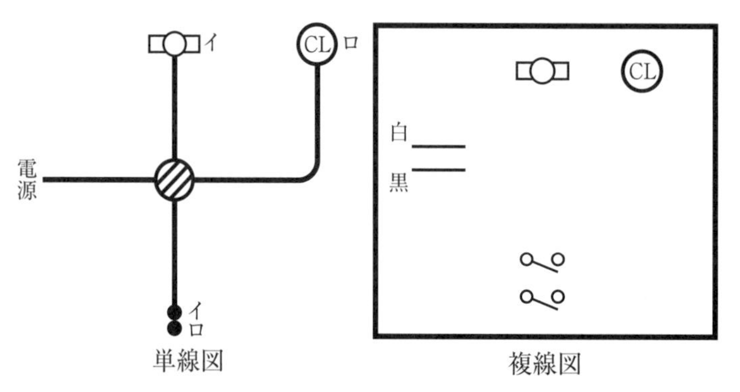

➔単線図の上のイは蛍光灯（ボックス付き），ロはシーリングライト。この場合，下のイとロのスイッチで別々に点灯させる。また，白を接地側とする。

10　次の文章は，「電気による事故と防止」について述べたものである。下の解答群から適切な用語を選び，（　　）の中に記入せよ。

(1)　電気によるおもな事故には，漏電・短絡・感電や（[1]　　　　　）の放電による事故などがある。

(2)　絶縁部分が損傷したり，劣化したりすると，絶縁効果がなくなったところから電流が外部へ流れ出てしまうことがある。このような現象を（[2]　　　　　）という。

(3)　洗濯機・エアコン・乾燥器・電子レンジには，必ず（[3]　　　　　）をつけ，漏電した電気を地中に逃がすようにする。

(4)　漏電したら，ただちに電源が切れるよう（[4]　　　　　）を取りつける。

(5)　絶縁の劣化などによって被覆のはがれた電線どうしが，電気抵抗がきわめて小さい状態で触れることを（[5]　　　　　　　　）という。

(6)　通電中の配線や器具に触れると，人体に電流が流れ，衝撃を受けることがある。この現象を（[6]　　　　　）という。

(7)　感電の危険の程度は，（[7]　　　　　）の大きさによって決まり，それが多くなると痛みやしびれを感じるようになる。

(8)　流体や粉体をパイプで送ったり，混ぜたり，噴霧したときに，（[8]　　　　　）が発生する。

■解答群

電圧，静電気，電気漏れ，漏電，アース，防止スイッチ，漏電遮断器，短絡またはショート，感通，感電，電流

➜ 生産工場などでは，静電気による事故防止がつねに心がけられている。

➜ 落雷によって樹木が二つに裂けるのは，樹木に大電流が流れるためである。すなわち，電流が流れるとその通路に当たる部分の空気が急激に膨張し，その力によって割れるのである。

11　次の文章は，漏電事故の防止について述べたものである。下の解答群から適切な用語を選び，（　　）の中に記入せよ。

(1)　保守・点検・（[1]　　　　　）などを定期的に行い，（[2]　　　　　）の損傷・変質・劣化を早期に発見する。

(2)　工作機械や電気器具に（[3]　　　　　）をつけ，漏電した電気を地中に逃がす。

■解答群

修理，絶縁試験，分電盤，絶縁被覆，スイッチ，アース

12 次の文章は，短絡事故の防止について述べたものである。下の解答群から適切な用語を選び，(　　)の中に記入せよ。

(1) 保守，点検を定期的に行い，([1]　　　　　　)の損傷・劣化，器具の損傷を早期に発見し，修理する。

(2) 負荷の容量に適した配線を行い，([2]　　　　　　)の容量以上の電流を流さない。

(3) ([3]　　　　　　)遮断器を取りつけ，短絡が生じた場合，ただちに電流が切れるようにする。

■解答群

配線，過電流，電線，ケーブル，絶縁被覆，短絡，工作物

13 次の文章は，感電事故の防止について述べたものである。下の解答群から適切な用語を選び，(　　)の中に記入せよ。

(1) 高圧の電気機器のある場所には，「([1]　　　　)危険」の表示および保護柵を設け，専門の作業者以外は立ち入らない。

(2) 低圧の場合でも，電源に接続されている([2]　　　　)電線やスイッチなどの導体部分に素手でさわらない。

(3) 電源に接続されている電気部品などの修理は，([3]　　　　)を切ってから行う。

(4) 漏電による感電防止のため，機械や電気器具の([4]　　　　　　)を確実に取りつける。

(5) 水に濡れた手で電気機器に触れないようにし，電気設備の点検修理にあたっては，電気用の([5]　　　　　　)，([6]　　　　　　)，([7]　　　　　　)などの保護具を使用する。

➔「立入禁止」の表示も必要である。

➔ 水に濡れた手は，電流を通しやすく，同じ手でも乾いている場合と大きな違いがある。

■解答群

電圧，高電圧，高電流，絶縁，裸，スイッチ，アース，ゴム，ヘルメット，靴，ゴム手袋，ゴム長靴

14 次の文章は，静電気による事故防止について述べたものである。次の解答群から適切な用語を選び，(　　)の中に記入せよ。

(1) 流体や粉体を扱う場合，摩擦が起こるような工程はできるだけ少なくし，流れの([1]　　　　　　)を遅くする。

(2) 静電気の発生しにくい([2]　　　　　　)を使用する。

(3) 湿度を([3]　　　　　　)て静電気を発生しにくくする。

(4)　機器や装置にアースを取りつけ，帯電した静電気を地中に逃がしたり，(4　　　　　)除去装置を取りつけたりする。

(5)　(5　　　　　)防止用の作業服や靴を着用する。

■解答群

流れ方，速度，時速，材料，低くし，高め，磁気，静電気，防止器具，磁性体，帯電

15　次の文章は，安全性の高い電気機器，検電器，電気機器の定格などについて述べたものである。下の解答群から適切な用語を選び，(　　)の中に記入せよ。

(1)　屋内の乾燥した場所で使うものより，屋外の湿度の高い，水滴のある場所で使うようにつくられた電気機器は，(1　　　　　)機器とよばれる。

(2)　絶縁を二重にして漏電や感電に対応できるようにした機器を，(2　　　　　)絶縁構造機器という。

(3)　可燃性物質や引火性物質を取り扱う場所では(3　　　　　)機器を使用する。

(4)　感電事故防止には，電流が流れているか否か，電圧が加わっているか否かを知ることがたいせつである。このような点検には，テスタや(4　　　　　)が使われる。

➔ ペン形の検電器やドライバに組込まれた検電器もある。

(5)　電気機器には，安全に使用されるよう(5　　　　　)が定められている。

➔「6 A-125 V」の表示は，定格電流が6 A，定格電圧が125 Vということで，この値以上は使用してはならない。

■解答群

防爆形，防湿形，防水形，完全，二重，火災防止，爆発防止，
検流計，検電器，定電圧，定電流，定格

16　電気用品の表示マークについて，次の(1)～(4)に対応するマークをかけ。

➔ 電気用品による危険や障害の発生を防止するために，電気用品安全法が定められている。

(1)　特定電気用品		(2)　二重絶縁構造	
(3)　特定電気用品/以外の電気用品		(4)　日本産業規格	

第4章　電子回路

1 半導体 （教科書 p. 128～129）

1 次の物質の中で，半導体であるものを○でかこめ。

銀，石英，ゴム，シリコン，鉄，ゲルマニウム，アルミニウム，
セレン，銅，ガラス，ベークライト，鉛，大理石

2 次の文章は，半導体についてまとめたものである。下の解答群から適切な用語を選び，(　　)の中に記入せよ。

➡ 抵抗率がおよそ 10^{-4}～10^{4} Ω・mのものを半導体という。

(1) 物質の最小要素である原子は，原子核を中心にその周囲を多数の（1　　　　）が回転している。

最も外側の軌道を回転している電子を（2　　　　）といい，この（2　　　　）が原子の性質を大きく変える。シリコン(Si) やゲルマニウム (Ge) の価電子は（3　　）個である。

半導体材料によく利用されているSiは精製された高純度のSi結晶である。このような結晶を，（4　　　　）という。

(2) （4　　　　）の価電子は，（5　　）程度の低温では原子核に強く結合されているが，20℃ 程度になると熱エネルギーなどによって原子核との結合を離れて原子間を動き回るようになる。このような電子を（6　　　　）といい，電気を運ぶ働きをする。（6　　　　）は，温度が高くなるほど多くなる。一方，負の電荷をもった電子が抜けた部分は，電気的に正の電荷を帯びることになり，これを（7　　　　）とよぶ。

半導体の温度を上げたり，半導体に光を当てたりすると，自由電子や正孔が増え，抵抗が（8　　　　）する。

➡ 光も一種のエネルギーである。

(3) 価電子（9　　）個の半導体Siに価電子（10　　）個のほう素(B) などをわずかに混入させたものを（11　　　　）という。

➡ ガリウムもほう素と同じ個数の価電子をもつ

(4) 価電子（12　　）個の半導体Siに，価電子（13　　）個のひ素(As) などをわずかに混入させたものを（14　　　　）という。

➡ 0 K は−273℃

■解答群

3，4，5，単結晶，自由電子，電子，価電子，n形半導体，正孔，
p形半導体，増加，減少，−100℃，−273℃，0 K

2 ダイオード (教科書 p. 130〜132)

1 次の図1について，p形半導体およびn形半導体中の正孔および電子の移動の向きと電流の関係を表したものにしたい。正孔および電子の移動の方向を矢印（→）で示せ。

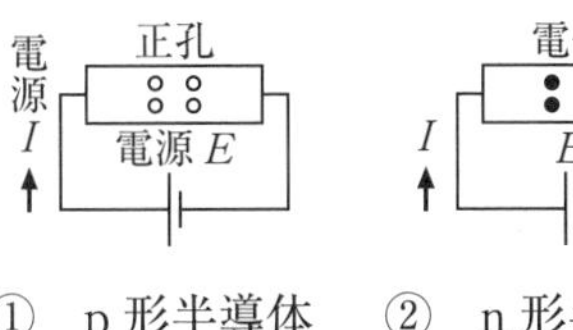

① p形半導体　② n形半導体

図1

➔ 正孔…正の電荷を帯びている。
　電子…負の電荷を帯びている。

2 次の図2は，接合ダイオードを表したものである。下の解答群から適切な用語を選び，（　　）の中に記入せよ。また，順方向に接続してあるのは，図A，図Bのどちらか。次に，電圧電流特性で正しいのはどれか。それぞれの記号を○でかこめ。

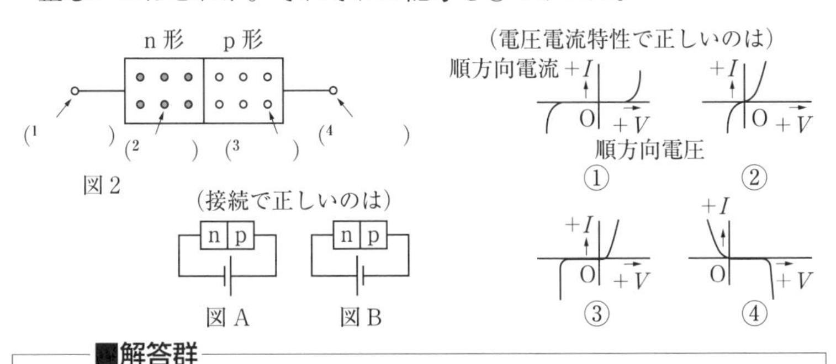

➔ 電流の流れる向きから，アノードとカソードを決める。

■解答群

アノード，カソード，正孔，電子

3 次の図記号は，いろいろなダイオードを示したものである。図記号に対する名称および特性，用途例はそれぞれどれか。

	図記号	名　称	特性	用途例
1		A　整流用ダイオード	ア　一定の逆方向電圧になると急激に電流が流れる	a　表示素子
2		B　可変容量ダイオード	イ　逆方向電圧を変えると，静電容量が変化する。	b　整流回路（一方向にだけ電流を流す）
3		C　ホトダイオード	ウ　順方向に電流を流すと，発光する。	c　共振回路
4		D　発光ダイオード	エ　光が当たると，p形側に正，n形側に負の電圧が発生する。	d　光検出素子
5		E　定電圧ダイオード	オ　順方向には電流が流れるが，逆方向には電流が流れない。	e　定電圧回路（電流と無関係に一定の電圧を保つ）

（解答）1-(1　　)-(2　　)-(3　　)　2-(4　　)-(5　　)-(6　　)　3-(7　　)-(8　　)-(9　　)
4-(10　　)-(11　　)-(12　　)　5-(13　　)-(14　　)-(15　　)

3 トランジスタ （教科書 p. 133～145）

1 次の文章は，トランジスタの構成と動作原理について説明したものである。下の解答群から適切な用語を選び，（　　）の中に記入せよ。

トランジスタはn形またはp形半導体の両側に，それと異なる半導体を配置したものである。n形-p形-n形半導体のそれぞれの電極にリード線をつけたものを，（1　　　　）形トランジスタという。またp形-n形-p形半導体のそれぞれの電極にリード線をつけたものを（2　　　　）形トランジスタという。トランジスタの電極名はキャリヤを集める電極を（3　　　），キャリヤを放出する電極を（4　　　　），通過するキャリヤを制御する電極を（5　　　）という。

図3は，npn形トランジスタの原理図である。図のように，エミッタを入出力の共通端子にする場合を（6　　　）接地増幅回路という。それぞれのスイッチS_1とS_2を閉じると，まずエミッタの電子が（7　　　）へ移動する。電子はベースで（8　　　）と結合するが，ベースの幅が非常に狭いので，ベースで（8　　　）と結合する電子は少数であり，大部分は（9　　　　）に到達する。

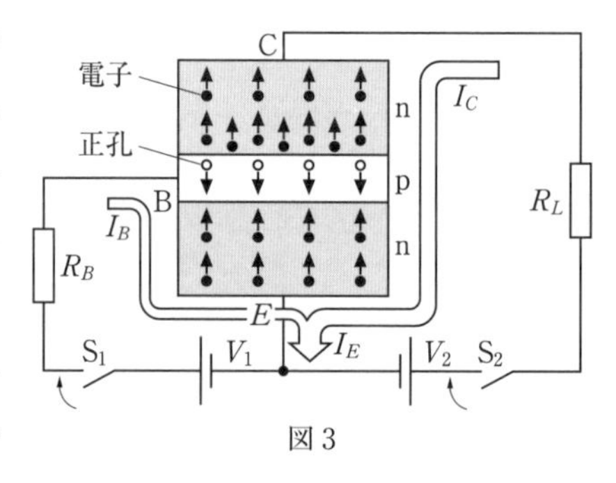

図3

➜ キャリヤには，電子と正孔がある。
n形のキャリヤは電子，p形のキャリヤは正孔である。

➜ $I_E = I_C + I_B$であることは，図中の矢印で明らかである。

電子は，コレクタに入ると，加えられている正電圧によって集められ，コレクタ電流I_Cとなる。エミッタ電流I_Eはベース電流I_BとI_Cの（10　　）となる。このことから，（11　　　　）電流をわずかに変えると，コレクタ電流が大きく変化することがわかる（増幅動作）。トランジスタは，主に増幅動作と（12　　　　）動作がある。

■解答群

スイッチ，ベース，エミッタ，コレクタ，電子，正孔，pnp，npn，和，差

2 次の図4は，トランジスタの図記号である。形の名を記入せよ。

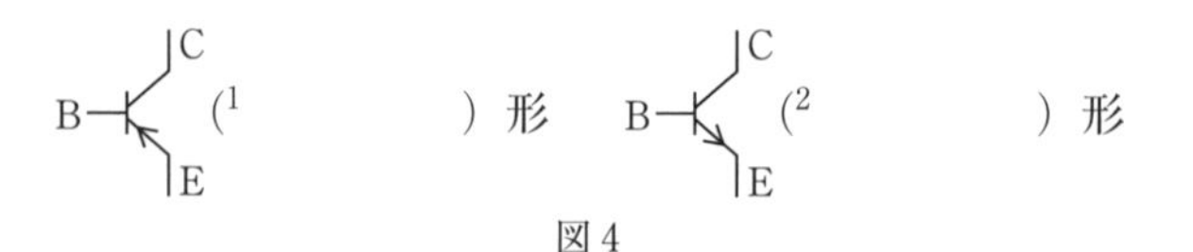

図4

3　入力電流 I_i が 10 μA のとき，出力電流 I_o が 1.5 mA であった。電流増幅度 A_I はいくらか。

$$A_I = \frac{(^1 \qquad\qquad)}{(^2 \qquad\qquad)} = (^3 \qquad\qquad)$$

4　電圧増幅度 A_V が 180 の増幅回路がある。入力電圧 V_i が 80 mV のときの出力電圧 V_o はいくらか。

$$V_o = 180 \times (^1 \qquad\qquad)\ [\mathrm{mV}] = (^2 \qquad\qquad)\ [\mathrm{V}]$$

➜ $A_V = \dfrac{出力電圧\ Vo}{入力電圧\ Vi}$

5　入力電圧が $v_i = 20 \sin \omega t$ [mV] のとき，出力電圧が $v_o = 1.6 \sin \omega t$ [V] であった。電圧増幅度 A_V はいくらか。

$$A_V = \frac{\dfrac{(^1 \qquad\qquad)}{\sqrt{2}}}{\dfrac{(^2 \qquad\qquad)}{\sqrt{2}}} = (^3 \qquad\qquad)$$

➜ $\sqrt{2}$ で割って実効値を求めている。しかし，結果的には最大値のままで計算しても同じである。

6　次の文章は，増幅回路の動作について説明したものである。図５の記号および適切な用語を下の解答群から選び，(　　) の中に記入せよ。

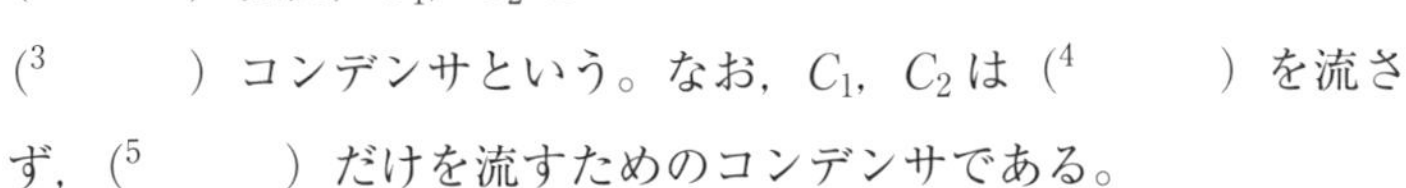

図５

➜ 固定バイアス回路という。

図において，R_B を (1　　　) 抵抗，R_L を (2　　　) 抵抗，C_1，C_2 を (3　　　) コンデンサという。なお，C_1，C_2 は (4　　　) を流さず，(5　　　) だけを流すためのコンデンサである。

ベース側の回路では，次の式がなりたつ。

$$V_{CC} = I_B R_B + (^6 \qquad\qquad)$$

上の式をもとに，ベース電流 I_B を求めることができる。シリコントランジスタの場合，(6　　　　) は約 0.6 V なので，I_B の概略値は次式で求めることができる。

$$I_B = \frac{(^7 \qquad\qquad) - 0.6}{(^8 \qquad\qquad)}$$

また，コレクタ側の回路について，次の式がなりたつ。

$$V_{CC} = V_{CE} + (^9 \qquad\qquad)$$

■解答群

交流分，直流分，V_{CC}，V_{BE}，$I_C R_L$，R_B，$I_B R_B$，負荷，結合，ベース

7 次の図6は，電流帰還増幅回路である。次の各問に答えよ。

⑴ この回路の特徴は何か。

(1　　　　　　　　　　　　　　　　)

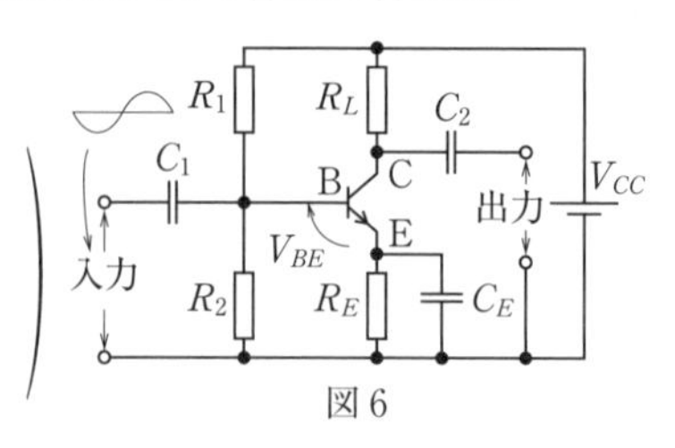

図6

⑵ R_E および C_E の名称とその働きを記述せよ。

R_E の名称 (2　　　　　　)

働き (3　　　　　　　　　　　　　　　　)

C_E の名称 (4　　　　　　)

働き (5　　　　　　　　　　　　　　　　)

⑶ 次の文章は温度上昇時の動作の流れを示したものである。(　　) の中に増加または減少のことばを記入して，文章を完成せよ。

周囲の温度が上がる→コレクタ電流 I_C が (6　　　) する→エミッタ電圧 V_E が (7　　　) する→V_{BE} が (8　　　) する→I_B が (9　　　) し，I_C が (10　　　) する。よって，回路が安定する。

⑷ 図A～図Dのうち，入力波形に対して，出力波形が正しいのはどれか。 (11　　　)

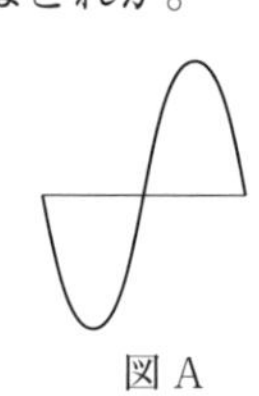

図A

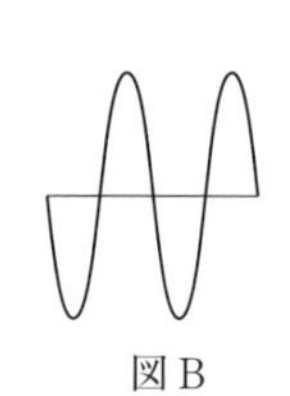

図B

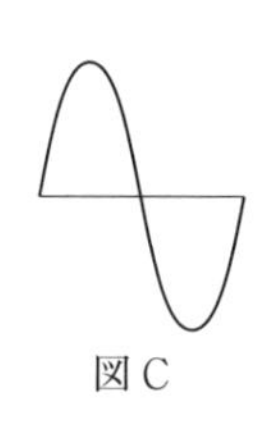

図C

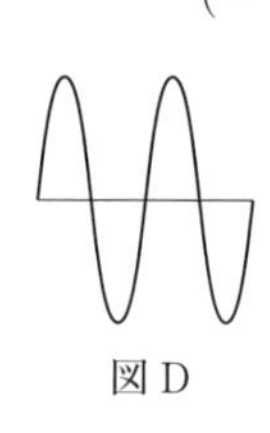

図D

➔ 固定バイアス回路は，素子数が少ない簡単な回路であるが，温度変化に対して不安定である。これに対して，電流帰還増幅回路はどうかと考える。

➔ 出力波形の数と正の半サイクルと負の半サイクルの関係から判断する。

8　下の図７の回路において，次の各問に答えよ。

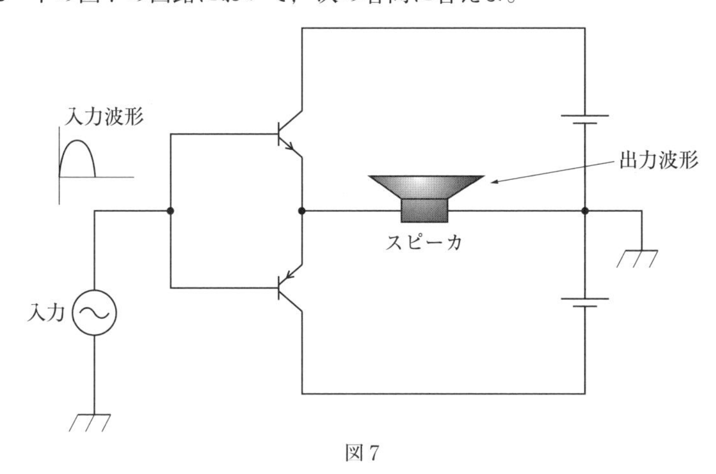

図７

(1)　入力波形に対して，出力波形が正しいのはどれか。(　　)の中にⓐ～ⓓを記入せよ。　(1　　)

➜ スピーカに流れる電流の向きから＋－の極性で判断する。

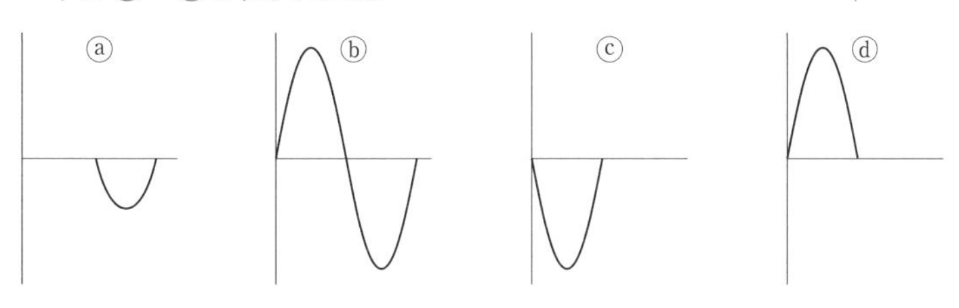

(2)　この回路の名称…　(2　　　　　)

9　次の文章は，電界効果トランジスタについて述べたものである。下の解答群から適切な用語を選び，(　　)の中に記入せよ。

電界効果トランジスタは，英語名の頭文字から (1　　　　) とよばれている。(1　　　　) は，トランジスタに比べて入力インピーダンスが (2　　　) く，雑音や消費電力が (3　　　) い。図８は，(4　　　　　) FET であり，３つの電極がある。その電極の名前は，㋐が (5　　　　)，㋑が (6　　　　)，㋒が (7　　　　) である。(8　　　　　) 電圧 V_{GS} によって，(9　　　　　) の大きさが変化し (6　　　　　) 電流 I_D を制御するものである。なお，(4　　　　　) FETのほかに，酸化絶縁膜を利用した (10　　　　　) FETがある。

➜ field effect transistor

➜ metal oxide semiconductor

空乏層　p形　㋐　㋑　n形　I_D　V_{GS}　㋒　V_{DS}

図８

■解答群

FET，MOS形，接合形，大き，小さ，エミッタ，コレクタ，ベース，ゲート，ソース，ドレーン，空乏層

10 次の文章は，サイリスタについて述べたものである。下の解答群から適切な用語を選び，（　　）の中に記入せよ。

(1) サイリスタは，（1　　　　　）の4層構造である。

(2) サイリスタは，（2　　　　　）素子として使われる。

(3) サイリスタのゲート（G）に制御電圧を加えると，アノードと（3　　　　　）の間に電流が流れ始める。これを（4　　　）オンという。

➔ 教科書 p. 143 図 22 の V_{AK} を 0 V または逆電圧にすると電流は流れない。これをターンオフという。

■解答群

npn，pnp，pnpn，増幅，スイッチング，発振，カソード，ゲート，ターン

11 次の文章は，ホール素子，サーミスタ，光導電素子（CdS）について述べたものである。下の解答群から適切な用語を選び，（　　）の中に記入せよ。

ホール素子に電流を流して，それと直角に（1　　　　　）を加えると，電流と（1　　　　　）に直角に（2　　　　　）が発生する。この現象を（3　　　　　）効果という。

サーミスタは，温度が上がると抵抗値が（4　　　）く変化する半導体素子である。サーミスタは，温度計などに使用される。図記号は，下図の（5　　　）である。

➔ 温度が上がると抵抗値が下がる NTC サーミスタと，温度が上がると抵抗値も上がる PTC サーミスタがある。

CdS は，（6　　　　　）と（7　　　　　）の化合物でつくられた素子であり，光が当たると抵抗値が（8　　　）くなる。カメラの（9　　　　　）などに用いられ，図記号は下図の（10　　　）である。

図 A　　図 B

➔ CdS は，照明用ランプの自動点灯装置にも用いられる。

■解答群

硫黄，ニッケル，カドミウム，モリブデン，コバルト，大き，小さ，図 A，図 B，電圧，磁界，露出計，ホール

4 電源回路　（教科書 p. 146～149）

1　ブリッジ整流回路の接続で正しいのはどれか。また，入力波形に対して，正しい出力波形はどれか。

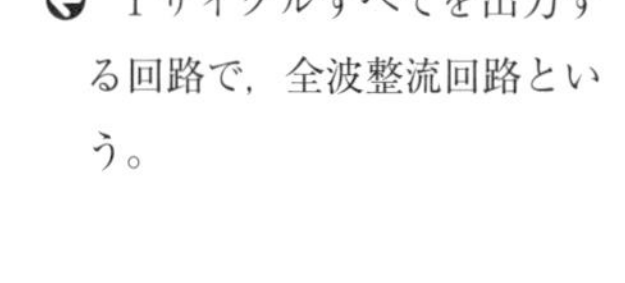

➜ 1サイクルすべてを出力する回路で，全波整流回路という。

（接続で正しいのは）…（1　　　）

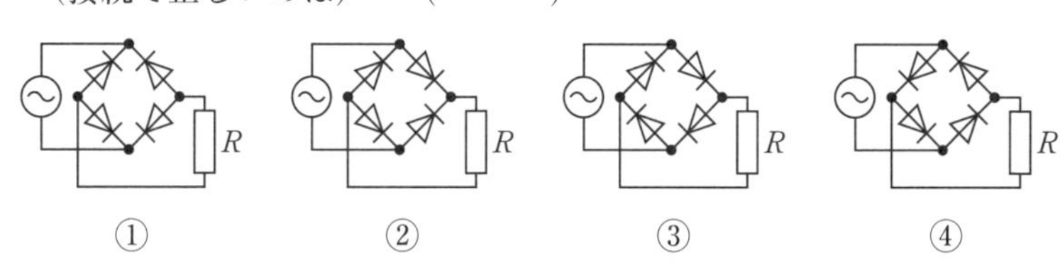

（出力波形で正しいのは）…（2　　　）

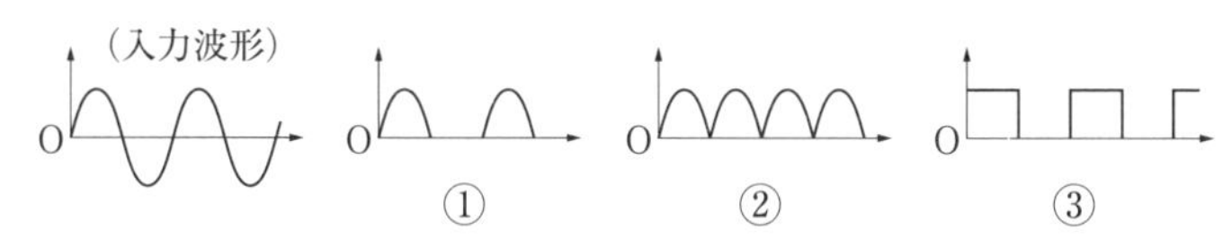

2　次の文章は，三端子レギュレータ回路について述べたものである。下の解答群から適切な用語を選び，（　　）の中に記入せよ。

(1)　図9に示すような，電圧安定化回路を内蔵した素子（7805）を（1　　　　）という。

➜ 電源回路として広く利用されている素子である。

(2)　この素子の（2　　　　）は，5Vや12Vのように，あらかじめ定められている。

(3)　規定の電圧を取り出すためには，（3　　　　）は規定電圧より高めにする必要がある。

(4)　この素子を使う場合，降下させた電圧が熱になるので（4　　　　）を取りつけることがある。

(5)　図中の470 μFは，（5　　　　）コンデンサである。

➜ 教科書 p. 73 いろいろなコンデンサで調べる。

(6)　図中の記号Eは，（6　　　　）を示す。

(7)　熱として発生する量を V_o，V_i，I_o を用いて示すと（7　　　　）になる。

入力端子　I_0　出力端子　7805　E　V_i　0.33 μF　＋　470 μF　V_0＝5V

図9

➜ ジュールの法則
熱量＝電圧×電流×時間
ここでは，電力（ワット）として考える。
電力＝電圧×電流

■解答群

三端子レギュレータ，三端子安定化回路，三端子コンバータ，
入力電圧，出力電圧，E電圧，放熱装置，放熱器，電解，アース，
$(V_i - V_o) \times I_o$，$(V_o - V_i) \times I_o$

3 次の文章は，平滑回路について述べたものである。下の解答群から適切な用語を選び，(　　) の中に記入せよ。

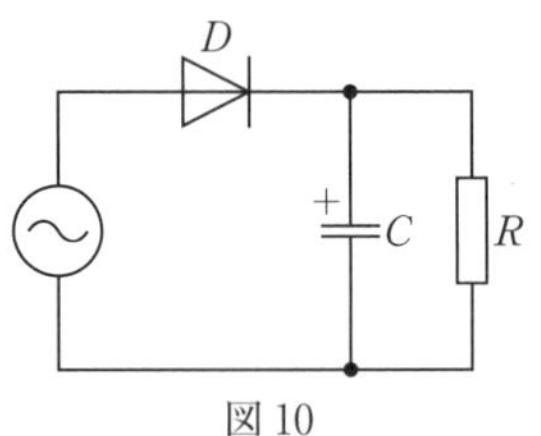

図 10

⑴ 整流された出力電圧には，交流分が含まれる。これを (1　　　　) という。

⑵ ほとんどの電子回路は，直流で動作するので (1　　　　) をできるだけ減らしたい。そのため，図 10 のような回路を用いることがある。このような回路を (2　　　　) 回路という。

⑶ この回路で利用するコンデンサを (3　　　　) コンデンサという。

⑷ ダイオードは一方向にしか電流を流さない。流れる方向を (4　　　　) 方向という。

⑸ このコンデンサには (5　　　　) コンデンサが用いられる。

⑹ このコンデンサの値が大きいほど (6　　　　) がゆるやかになり，脈流が小さくなる。

⑺ 出力直流電圧に含まれる脈流の周波数は，(7　　　　) 整流回路では入力周波数と同じであるが，(8　　　　) 整流回路では入力周波数の 2 倍になる。

⑻ 入力電圧として 1 サイクルの正弦波交流がダイオードに加わると，正の半サイクルで (9　　　　) を充電し，負の半サイクルで (10　　　　) を通して放電する。

■解答群

交流成分，脈流，直流分，整流，ブリッジ，カップリング，平滑，電解，静電容量，放電，充電，充放電特性，全波，半波，R，C，順

➔ ダイオード D は，一方向のみに電流を流す素子である。

➔ 平滑回路に利用するコンデンサと考える。

➔ コンデンサの図記号を調べる。

➔ CR の並列回路に交流を流すと，C に充電された電荷は，ある条件で R を通して放電する。

4 図 11 は，平滑回路の一例である。右図のような波形を入力した場合，その出力波形はどのようになるか。図示せよ。

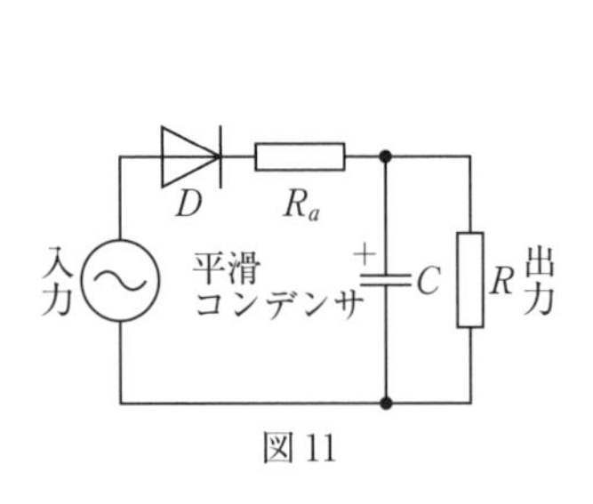

図 11

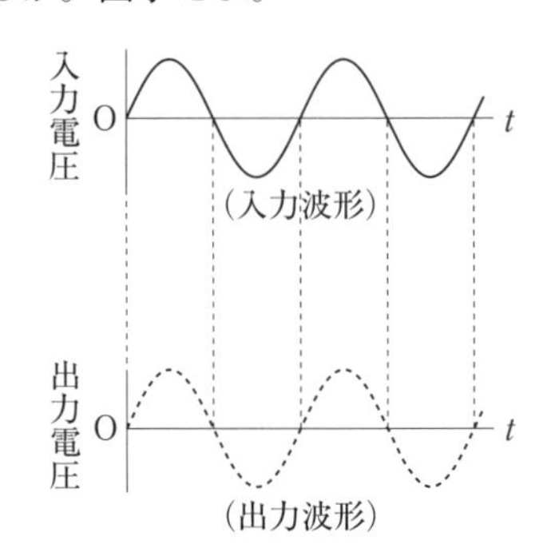

➔ R の上端の電圧は，つねに正で，負になることはないと考えて作図する。

5 集積回路 （教科書 p. 150〜154）

1 次の文章は，ICの長所についてまとめたものである。下の解答群から適切な用語を選び，（　）の中に記入せよ。

(1) ICは，一つの（1　　　）に多数の回路（2　　　）を組み込んだ複合素子である。

(2) ICは，個別の（3　　　）素子と比べると，（4　　　）で（5　　　），（6　　　）が高く，回路（7　　　）や組立の（8　　　）が省ける。

(3) ICには，（9　　　）IC，（10　　　）ICがある。

■解答群

半導体，高価格，低価格，タップ，チップ，手間，設計，ディジタル，アナログ，信頼度，素子，小型，大型

➜ トランジスタ，ダイオード，抵抗，コンデンサなどが組み込まれている。

2 図12は，主なICパッケージの外観図である。形名を（　）の中に記入せよ。

➜ DIP形IC：dual in-line package IC
SIP形IC：single in-line package IC

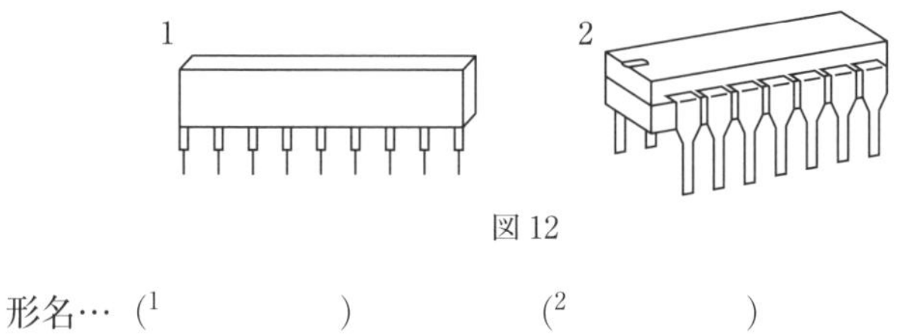

図12

形名…（1　　　）　（2　　　）

3 次の文章は，ICの種類について述べたものである。下の解答群から適切な用語を選び，（　）の中に記入せよ。

ICにはいろいろな種類がある。何個の素子が組み込まれているかを表す（1　　　）の区分や，ディジタルIC・アナログICという（2　　　）による分類，また，モノリシックIC・ハイブリッドICといった（3　　　）の区分がある。

■解答群

機能別，集積度，構造別，素子別

4 下に示す文字は，ICを集積度の程度によって分類した略号である。集積度の大きい順番に並べよ。また，LSIの素子数はおよそいくらか。　MSI　VLSI　SSI　LSI

大きい順…（1　　　）（2　　　）（3　　　）（4　　　）

LSIの素子数…（5　　　）

➜ SSIは100未満の素子
MSIは100〜1 000素子
素子数に関係なくすべてLSIということもある。

5 次の文章は，演算増幅器（オペアンプ）について述べたものである。下の解答群から適切な用語を選び，（　　）の中に記入せよ。

オペアンプは，直流から高周波までの（1　　　　　）電圧を増幅する（2　　　　　）ICであり，増幅度が数千倍程度と非常に（3　　　　　）く，入力インピーダンスも数MΩ程度と非常に（4　　　　　）い。出力インピーダンスは数十Ωときわめて（5　　　　　）いという特徴をもっている。図記号の－端子を（6　　　　　）入力端子，＋端子を（7　　　　　）入力端子という。

➜ 逆相入力端子，正相入力端子ともいう。

図13の回路の場合，電圧増幅度 $A_v{}'$ は次の式で求めることができる。

$$A_v{}' = \frac{V_O}{V_i} = \frac{(^8 \qquad\qquad)}{(^9 \qquad\qquad)}$$

負の符号は，入力と出力の位相が（10　　　　　）していることを示す。このことから，図13を（11　　　　　）増幅回路という。

➜ 逆相増幅器ともいう。

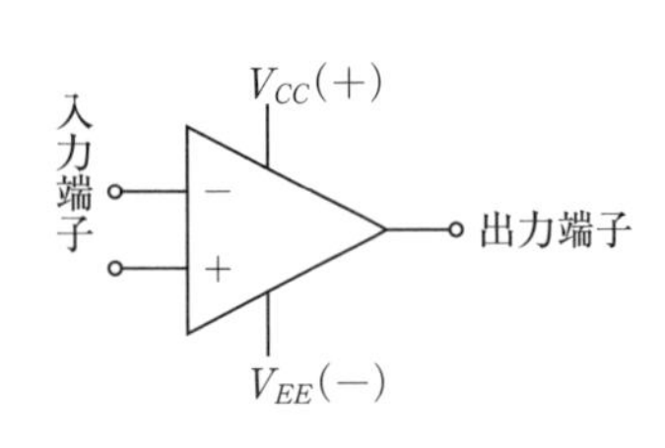

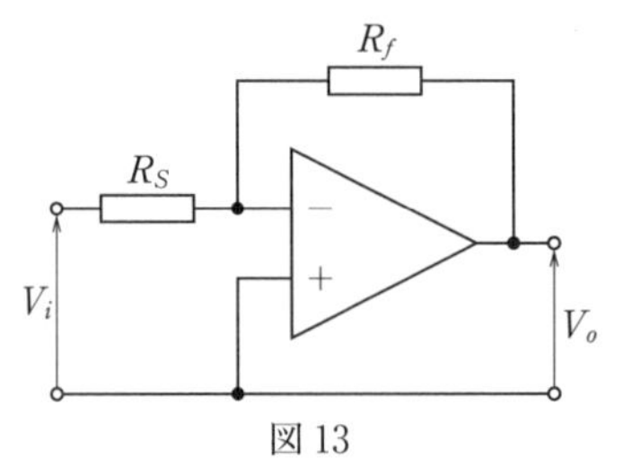

図13

■解答群

小さ，大き，反転，非反転，R_s，R_f，ディジタル，アナログ，リニア

6 図14の回路で，V_i に0.6Vの入力電圧を加えたとき，電圧増幅度 $A_v{}'$ および出力電圧 V_o を求めよ。

➜ $A_v{}' = -\frac{R_f}{R_s}$
$V_o = A_v{}'\ V_i$

電圧増幅度　$A_v{}' = \frac{(^1 \qquad\qquad)}{(^2 \qquad\qquad)} = -(^3 \qquad\qquad)$

出力電圧　$V_o = -(^4 \qquad\qquad) \times 0.6 = -(^5 \qquad\qquad)$

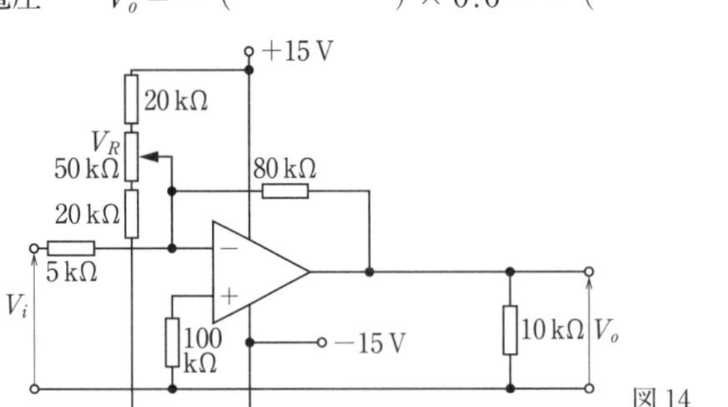

図14

7　次の数を指定する進数に変換し，（　　）の中に記入せよ。

(1)　$(27)_{10} = (^{1}\qquad)_{2}$　(2)　$(11000101)_{2} = (^{2}\qquad)_{16}$

(3)　$(46)_{10} = (^{3}\qquad)_{16}$　(4)　$(10110)_{2} = (^{4}\qquad)_{10}$

(5)　$(\mathrm{C})_{16} = (^{5}\qquad)_{2}$　(6)　$(274)_{16} = (^{6}\qquad)_{10}$

> 問 7，8，9 は他科目で学習した内容の確認。

> 10 進数→16 進数
> 例）$(90)_{10}$
> 16) 90
> 　　5…10
> あまり 10 は 16 進数では A であるから $(5\,A)_{16}$ になる。

8　次の文章は，基本的な論理回路について述べたものである。次の解答群から適切な用語を選び（　　）の中に記入せよ。

(1)　図 15 の回路で，スイッチ A，B をともに閉じると，出力 F は（1　　）V になり，ランプは（2　　）する。しかし，スイッチ A，B のうち 1 つでも開いていると，出力 F は（3　　）V になり，ランプは（4　　）する。このような回路を（5　　）回路または（6　　）回路という。この回路の論理式，真理値表，タイムチャートを完成させよ。

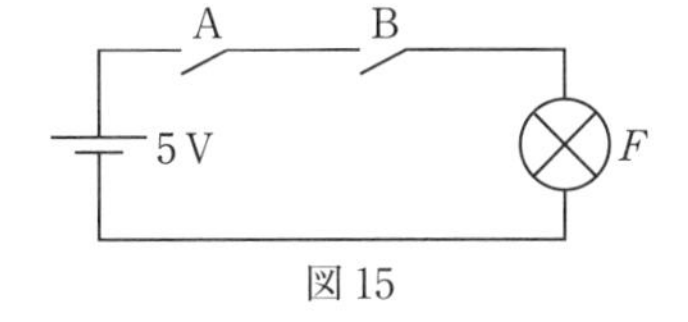

図 15

$F = (^{7}\qquad)$

論理式

入　力		出　力
A	B	F
0	0	(8　　)
0	1	(9　　)
1	0	(10　　)
1	1	(11　　)

真理値表

A　1　0　t
B　1　0　t
12
F　1　0　t

タイムチャート

(2)　図 16 の回路で，スイッチ A を動作させると，出力 F は（13　　）V となり，ランプは（14　　）する。スイッチをそのままにして動作させないと，出力 F は（15　　）V になり，ランプは（16　　）する。このような回路を（17　　）回路または（18　　）回路という。この回路の論理式，真理値表，タイムチャートを完成させよ。

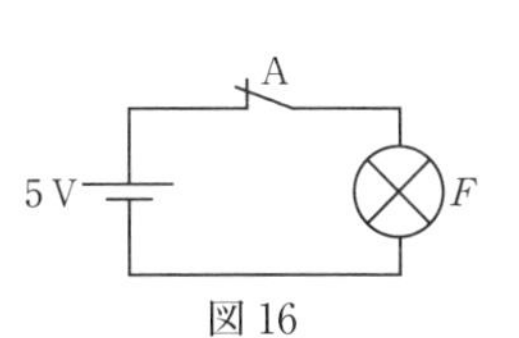

図 16

> このようなスイッチをブレーク接点といい，動作させると接点が開く。

$F = (^{19}\qquad)$

論理式

入　力	出　力
A	F
0	(20　　)
1	(21　　)

真理値表

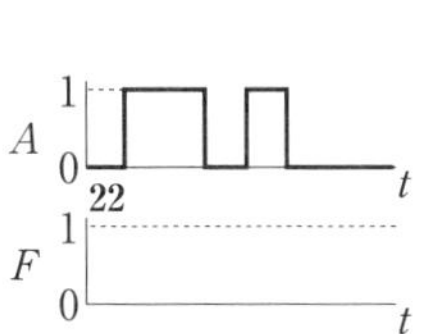

タイムチャート

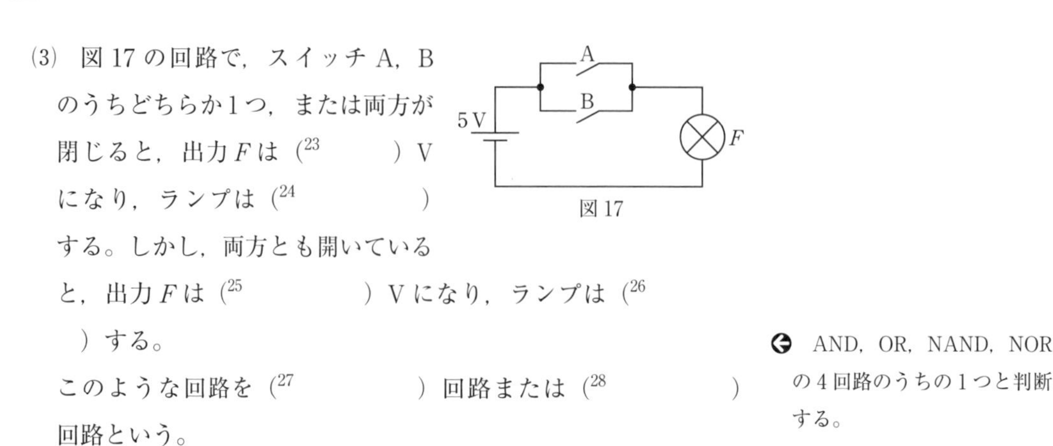

図 17

(3) 図 17 の回路で，スイッチ A，B のうちどちらか1つ，または両方が閉じると，出力 F は（23　　　）V になり，ランプは（24　　　）する。しかし，両方とも開いていると，出力 F は（25　　　）V になり，ランプは（26　　　）する。

このような回路を（27　　　）回路または（28　　　）回路という。

この回路の論理式，真理値表，タイムチャートを完成せよ。

➔ AND，OR，NAND，NOR の 4 回路のうちの 1 つと判断する。

F =（29　　　）

論理式

入力		出力
A	B	F
0	0	（30　　）
0	1	（31　　）
1	0	（32　　）
1	1	（33　　）

真理値表

タイムチャート

■解答群

0，1，5，点灯，消灯，NOT，OR，AND，論理積，論理和，否定，
$A+B$，$\bar{A}+\bar{B}$，$A\cdot B$，$\bar{A}\cdot\bar{B}$，A，B，$\bar{A}$，$\bar{B}$

9 次の論理回路の論理式を示せ。

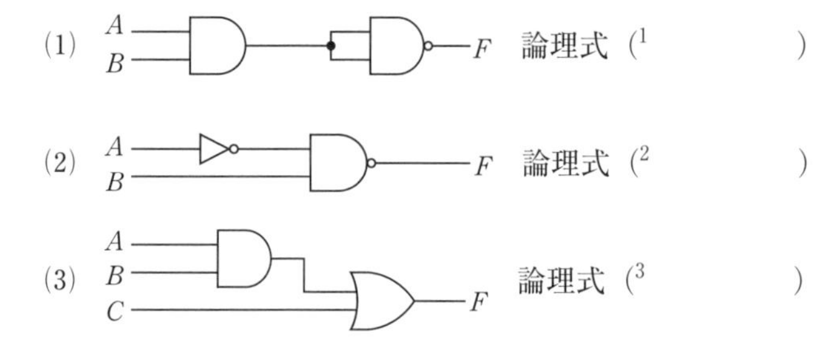

(1) 論理式（1　　　）

(2) 論理式（2　　　）

(3) 論理式（3　　　）

10 次の論理回路 AND と OR を NAND のみで作れ。

AND　　　　　　　　　　OR

第５章　生産における制御技術

1 制御の基礎　（教科書 p. 158～178）

1　次の文章は制御・自動制御に関するものである。適切な用語を下の解答群から選び，（　　）の中に記入せよ。

(1)　制御とは，「ある（1　　　　　）に適合するように，対象となっているものに所要の（2　　　　　）を加える」ことをいい，制御を人間の直接的な判断や（2　　　　　）によらず，自動的に行うことを（3　　　　　）という。

(2)　（3　　　　　）は，産業から身のまわりの機械など幅広い分野で用いられている。たとえば，ビルなどの（4　　　　　）や，道路にある（5　　　　　），温度調節に使用するエアコンディショナも（3　　　　　）が使われている設備である。

(3)　（3　　　　　）は，制御の内容や目的などによって，（6　　　　　）や（7　　　　　）などに分類される。

■解答群

フィードバック制御，自動制御，コンベア，エレベータ，シーケンス制御，目的，操作，信号機，工場

2　次の文章は，シーケンス制御とフィードバック制御の定義文である。適切な用語を下の解答群から選び，（　　）の中に記入せよ。

(1)　シーケンス制御とは，あらかじめ定められた（1　　　　　）または手続きに従って制御の各段階を（2　　　　　）進めていく制御である。

(2)　フィードバック制御とは，フィードバックによって（3　　　　　）を目標値と比較し，それらを一致させるように（4　　　　　）を生成する制御である。

■解答群

操作量，電流，逐次，機械的，順序，制御量

3 次の文章は，制御に用いる機器に関するものである。適切な語句を下の解答群から選び，(　　) の中に記入せよ。

(1) 機械系の生産システムにおいて，工場全体を自動化することがむずかしい場合は，(1　　　　　　) や (2　　　　　　) などを可能な範囲で組み合わせて自動化し，(3　　　　　　)・(4　　　　　　) を行う。また，化学系の生産システムにおける高温・高圧力などのきびしい (5　　　　　　) のもとでは，(6　　　　　　) の面からも遠隔からの (7　　　　　　) や制御による全体の自動化が必要になる。

(2) 工業生産における構成例を図1に示す。このように，管理用コンピュータ，制御用コンピュータ，設備が階層的に (8　　　　　　) された構成が必要となる。管理用コンピュータは，(9　　　　　　) や (10　　　　　　) をもとに，各々の設備を直接制御する制御用コンピュータと (11　　　　　　) をやりとりして，全体の (4　　　　　　)・(7　　　　　　) を行っている。制御用コンピュータは，管理用コンピュータからの指示に従い，設備の (4　　　　　　)・(3　　　　　　) を直接担っている。

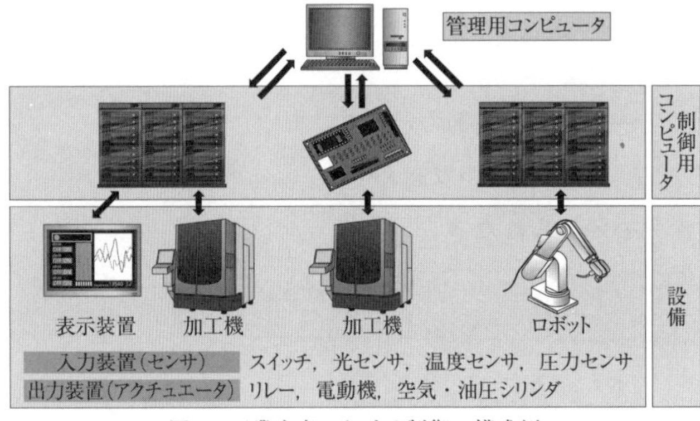

図1　工業生産における制御の構成例

(3) 各設備には，生産の状況を把握するための (12　　　　　　) や人間が操作する (13　　　　　　) が使用され，制御用コンピュータの入力装置となっている。また，設備の加工機やロボットの駆動部である (14　　　　　　) や人間に情報を伝える (15　　　　　　) などが，制御用コンピュータの出力装置となっている。

■解答群

センサ，管理，産業用ロボット，情報，環境，監視，五感，制御，制御データ，管理データ，電子部品，安全性，スイッチ，ネットワーク化，表示装置，NC工作機械，アクチュエータ

4　センサにはどのような種類があるか，（　　）の中に記入せよ。

（[1]　　　　）（[2]　　　　）（[3]　　　　）

（[4]　　　　）（[5]　　　　）（[6]　　　　）

➜ 検出するデータや媒体の種類などの分類

5　次の文章は，光電センサに関するものである。適切な用語を下の解答群から選び，（　　）の中に記入せよ。

(1)　光電センサは光を出す（[1]　　　　）素子と光を受けて電気信号に変換する（[2]　　　　）素子で構成される。

(2)　光電センサには２つのタイプがある。（[1]　　　　）素子と（[2]　　　　）素子を（[3]　　　　）に設置し，光の遮断・通過で検出作用をする（[4]　　　　）型と，両素子を（[5]　　　　）に設置して，（[1]　　　　）素子からの光が対象物に当たりその光が戻ってきたかどうかを検出する（[6]　　　）型とがある。

(3)　光電センサの応用例では何型の光電センサが使用されているか。

・手をかざすことでランプや蛇口が作動するスイッチやバーコードなどの読みとりに使用されている。……（[7]　　　　）型

・スリットの入った円板と共に使用して，電動機の回転数の検出や，人の通過などの検出に使用されている。…（[8]　　　　）型

■解答群

対面，同じ向き，背中合わせ，透過，受光，変換，発光，反射，回折

6　ひずみセンサについて次の各問に答えよ。

(1)　ひずみゲージが変形すると，なにが変化するか。

（　　　　　　）

➜ ひずみ→変形→電気信号の変化

(2)　圧力センサは，ひずみゲージをどのように使って圧力を測定するか。

（　　　　　　　　　　　　　　　　　　）

7 アクチュエータについて次の各問に答えよ。

(1) アクチュエータとは何か説明せよ。

(　　　　　　　　　　　　　　　　　　　　　　　　　　)

(2) 電気式アクチュエータの分類表を完成させよ。

電気式アクチュエータ
- ([1]　　　　　)
- ([2]　　　　　)
  - ([3]　　　　　)
  - ([4]　　　　　)
  - ([5]　　　　　)
  - ([6]　　　　　)

➡ 磁気を利用して，直線運動するものと，回転運動をするもの。

8 (1) 次の文章は，サーボモータの説明文である。適切な用語を下の解答群から選び，(　　) の中に記入せよ。

サーボモータとは，モータの ([1]　　　　) や ([2]　　　　) などを制御するため ([3]　　　　　) と組み合わせた ([4]　　　　) である。電源により ([5]　　　) サーボモータと ([6]　　　) サーボモータがあり，用途によって使い分けられる。

■解答群

サーボ機構，電動機，回転量，直流，電流，回転速度，交流，運転量，動力用電動機

➡ 回転速度：単位時間（1秒，1分）の回転数
回転量：回転した量

(2) サーボ機構を構成する主な要素を3つかけ。

([1]　　　　　　)・([2]　　　　　　)・([3]　　　　　　)

(3) ロータリエンコーダとはなにか，またその用途を述べよ。

➡ エンコーダとは信号化するもの。

(　　　　　　　　　　　　　　　　　　　　　　　　　　)

(4) ロータリエンコーダの回転板のスリットが円周上に400個ある。5回転したとき，ロータリエンコーダからでたパルスはいくつか。また，1パルスの回転角は何度か。式と答をかけ。

① 5回転のパルス数

計算式＿＿＿＿＿＿＿＿＿＿＿＿＿　答＿＿＿＿＿＿パルス

② 1パルスの回転角

計算式＿＿＿＿＿＿＿＿＿＿＿＿＿　答＿＿＿＿＿＿度

(5)　サーボモータの回転検出器から 30 秒間に 12 万パルスが出ている。回転板のスリットが円周に 200 個あるとすると，このサーボモータの１分間あたりの回転数はいくらか。式と答をかけ。

計算式　　　　　　　　　　　　　答　　　　　min^{-1}

(6)　シリンダの構成要素の名称を図２の（　　）の中に記入せよ。

➔ ピストンの先に動かしたいものを取りつけ直線運動させる。

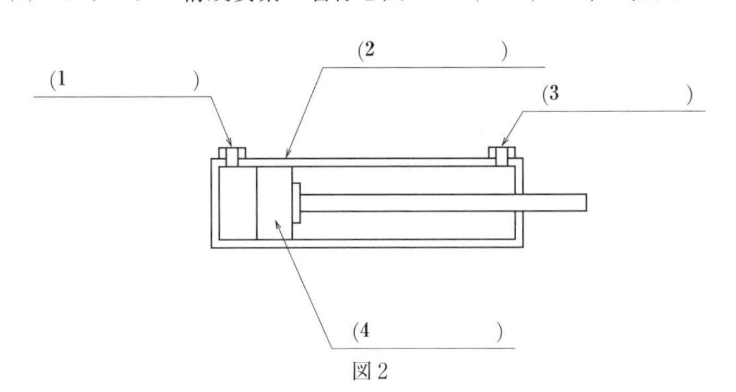

図２

(7)　次の文章は，シリンダに関するものである。適切な用語を下の解答群から選び，（　　）の中に記入せよ。

空気などの気体は（1　　　　　　）ので柔らかな動作に用いられ，油圧など液体は（2　　　　　　）ので強い力が必要な動作に用いられる。その動作は（3　　　　）運動で，流体の入口の選択でピストンの（4　　　　）が決まる。流体の流入方向の操作は（5　　　　）で行う。流体が出入りする口を（6　　　　）という。弁を電気で自動操作するため，（7　　　　）をつけた（8　　　　）を使用する。

➔ 圧力流体→ピストンが移動する。

➔ port，港の意味，船が出入する。→出入口

■解答群
移動方向，ソレノイド，圧縮性が少ない，圧縮性がある，
方向制御弁，電磁弁，ポート，ボート，曲線，直線

(8)　シリンダチューブの内断面積 S が 300 mm^2 のシリンダを 20 MPa の空気圧 P で作動させると最大いくらの力 F が発生するか。

計算式

答　　　　　kN

9 有接点シーケンス制御と無接点シーケンス制御のそれぞれの特徴を下の回答群から選び，(　　)の中に記号を記入せよ。

(1) 有接点シーケンス制御 (1　　) (2　　) (3　　)

(2) 無接点シーケンス制御 (4　　) (5　　) (6　　) (7　　)

■解答群

ア　機械的に動く接点がないため，接点の摩耗がなく信頼性が高い。
イ　プログラムでどんな複雑な制御もできる。
ウ　電気的ノイズに対して安定している。
エ　複雑な制御でも設計が容易で，製作に手間がかからない。
オ　過負荷耐量が大きい。
カ　装置の縮小化が可能。
キ　機械的な接点のため動作が遅い。

10 有接点シーケンスで使用する機器に関する次の各問に答えよ。

(1) 次の文章は，電磁リレーの説明文である。適切な用語を下の解答群から選び，(　　)の中に記入せよ。

電磁リレーは (1　　　　) と (2　　　　) で構成され，(1　　　　) のコイルに電流を流して，(2　　　　) を開閉させる機器である。(2　　　　) を開閉する方法には，(3　　　　) と (4　　　　)，(5　　　　) がある。

一般的に，(2　　　　) に流す電流が小さい場合は，(3　　　　) や (4　　　　)，大きい場合には (5　　　　) が用いられる。

■解答群

ヒンジ形，接点，リード形，プランジャ形，モータ，電磁石，ロータリ形

(2) 次の文章は，電磁リレーの特徴に関するものである。適切な用語を次の解答群から選び，(　　)の中に記入せよ。

① 図3のように，小さな電流で (1　　　　) 部を操作し，接点部に (2　　　　) 電流を流して (3　　　　) を動作させることができる。

② 図4のように，異なる種類の (4　　　　) を伝達する。DC電源でコイル部を操作し，(5　　　　) でACモータを制御することができる。

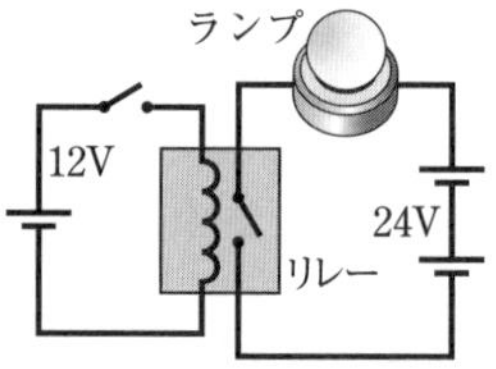

ランプ　12V　24V　リレー

図3　①の説明回路

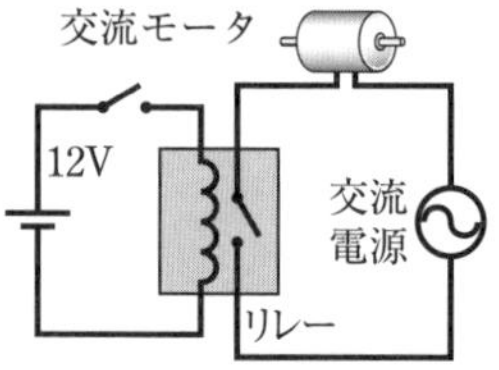

交流モータ　12V　交流電源　リレー

図4　②の説明回路

③　図５のように，コイル部への一つの（6　　　　　）で，いくつもの独立した回路を同時に（7　　　　　）できる。

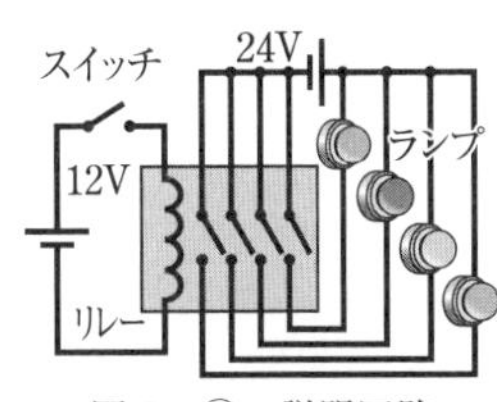

図５　③の説明回路

■解答群
入力信号，小さな，大きな，コイル，AC電源，DC電源，電気信号，負荷，開閉（制御）

(3)　次の文章は，ヒンジ形電磁リレーとスイッチを用いてランプを点灯させる場合を例に，電磁リレーの動作原理を説明したものである。図６を参考に，適切な用語を下の解答群から選び，（　　）の中に記入せよ。

①　スイッチを閉（ON）すると，（1　　　　　）に電流が流れ，鉄心を（2　　　　　）させる。

②　（2　　　　　）された鉄心に発生した（3　　　　　）によって，鉄片は鉄心に（4　　　　　）される。

③　鉄片が鉄心に吸着されると，可動接点と固定接点が接触し（または離れ），（5　　　　　）の役割をする。

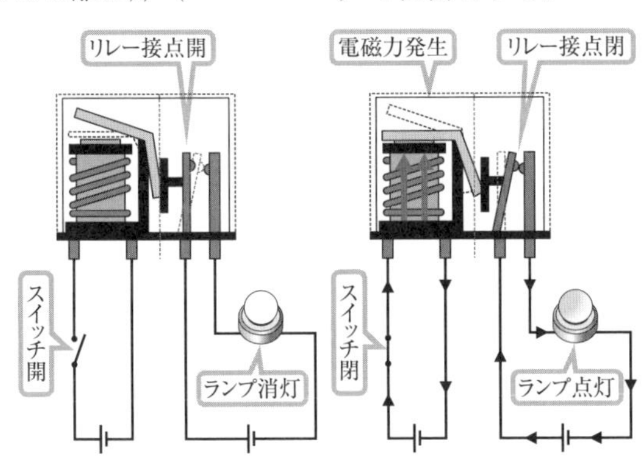

(a) スイッチ開（OFF）の状態　(b) スイッチ閉（ON）の状態
図６　電磁リレーの動作原理

■解答群
磁化，起電力，スイッチ，コイル部，吸引，電磁力，発熱

(4) 次の文章は，タイマについての説明文である。適切な用語を下の解答群から選び，(　　) の中に記入せよ。

タイマは (1　　　　) と (2　　　　) で構成され，設定された (3　　　　) によって (2　　　　) を開閉する機器である。

主な種類に (4　　　　) タイマと (5　　　　) タイマがある。

■解答群

限時復帰動作，接点，限時動作，タイマ回路，論理回路，時間，周期

(5) 図7はタイマのタイムチャートである。a接点の開閉を記入せよ。

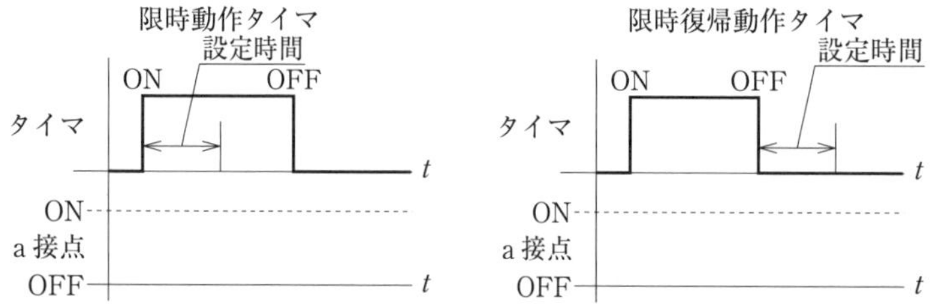

限時動作タイマ　　限時復帰動作タイマ

図7

11 次の文章は，シーケンス図についてのものである。適切な用語を下の解答群から選び，(　　) の中に記入せよ。

(1) (1　　　　) 内容を結線図にしたものをシーケンス図といい，(2　　　　) ともいう。シーケンス図には (3　　　　) シーケンス図と (4　　　　) シーケンス図がある。(3　　　　) シーケンス図は接点や機器などを結ぶ (5　　　　) が横のものをいい，縦のものを (4　　　　) シーケンス図という。

(6　　　　) と (6　　　　) との間に接点や機器などを配置し，(5　　　　) で結ぶ。

(3　　　　) シーケンス図の場合，左から右へ (7　　　　) が流れ，上から下へ順に (1　　　　) が行われる。

■解答群

制御母線，電力，制御，接続線，展開接続図，縦がき，電流，
抵抗線，横がき

(2) 次の文章は，図８のシーケンス図の動作説明文である。適切な用語を下の解答群から選び，(　　) の中に記入せよ。

① PB_1 が ON：電流が (1　　　) から (2　　　) へ流れ，ランプＬが (3　　　) する。

② PB_2 が ON：電流が (4　　　) から (5　　　) へ流れ，ランプＬが (6　　　) する。

③ このシーケンス図は (7　　　) 回路である。

図８

■解答群

a，b，OR，点灯，消灯，c，AND

(3) 下図は，シーケンス図に使用される図記号である。図記号の名称を (　　) の中に記入せよ。

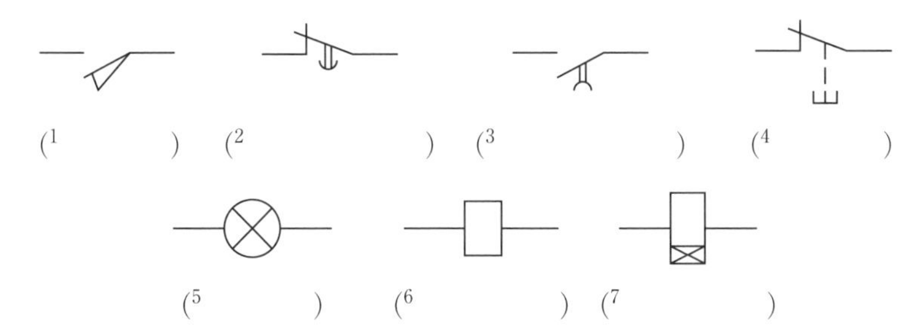

(1　　　)　(2　　　)　(3　　　)　(4　　　)

(5　　　)　(6　　　)　(7　　　)

(4) 次の基本回路の名称を (　　) の中に記入せよ。

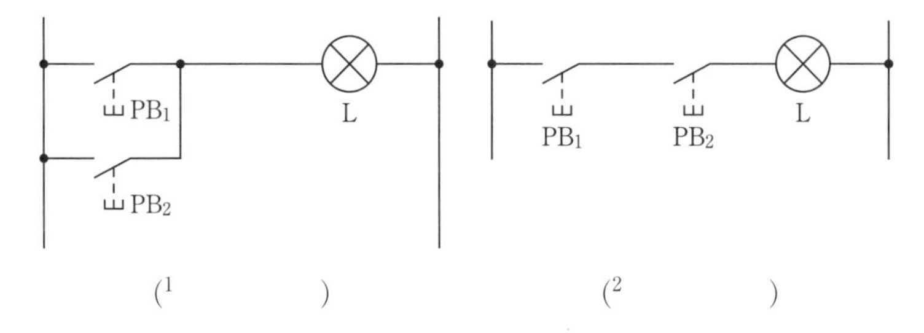

(1　　　)　(2　　　)

(5) 自己保持回路と遅延動作回路をかけ。

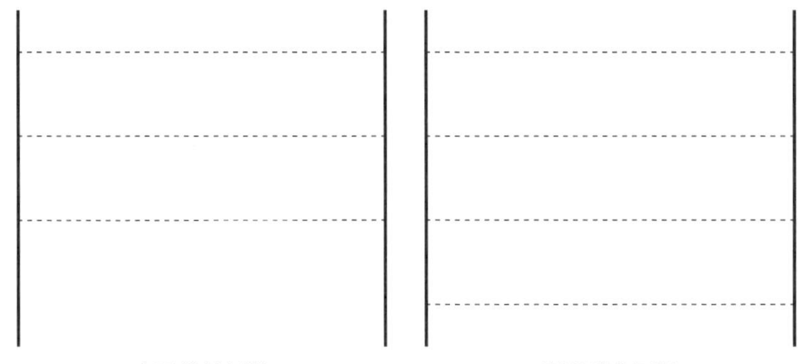

自己保持回路　　遅延動作回路

12 次の文章は，プログラマブルコントローラについてのものである。適切な用語を下の解答群から選び，（　　）の中に記入せよ。

⑴ プログラマブルコントローラは（[1]　　　　）制御用のコントローラである。内蔵した（[2]　　　　）に（[1]　　　　）制御用のソフトウェアを搭載し，（[3]　　　　）を入力することで制御内容を設定できる。

　スイッチやセンサなどの（[4]　　　　）やランプやソレノイドバルブなどの（[5]　　　　）をコードで接続し，制御を行う。

⑵ PLC 内部の構成図は，（[6]　　　　）や（[7]　　　　）の集合体のようなものであり，（[4]　　　　）は PLC の入力リレーに接続され，（[5]　　　　）は外部出力用接点を通して，制御される。

　入力インタフェースには，入力配線のための（[8]　　　　）があり，同様に出力インタフェースには，出力配線のための（[9]　　　　）がある。これらの端子には，内部シーケンスプログラムで使用する（[10]　　　　）が割り付けられている。（[10]　　　　）は，各端子番号のほかに PLC が内部にもっている（[7]　　　　）や（[11]　　　　）にも割り付けられている。

⑶ PLC のタイプは大別すると，パッケージタイプと，ビルドブロックタイプがある。パッケージタイプは，（[12]　　　　）・（[13]　　　　）・メモリ・入出力端子部が一体となったタイプである。（[14]　　　　）が少ない制御によく利用される。

　一方，ビルドブロックタイプは，（[12]　　　　）ユニットや（[13]　　　　）ユニットなど，それぞれ（[15]　　　　）したユニットを組み合わせてコントロールユニットを構成するタイプである。このタイプは，（[12]　　　　）ユニットと（[13]　　　　）ユニット，入力・出力ユニットを基本構成とし，そのほか，（[16]　　　　）に合わせて必要なユニットをベースユニットといわれる基板のコネクタに差し込み使用することができる。

■解答群

ラダーチャート，設定時間，出力機器，シーケンス，電源，
フローチャート，リレー，入力機器，独立，CPU，用途，
出力機器，制御プログラム，制御対象，要素番号，入力端子，
出力端子，マイクロコンピュータ，タイマ，カウンタ

13　次の問題は，PLC プログラムについてのものである。適切な用語を，（　　）の中に記入せよ。

(1)　次の文章は，プログラム言語の説明である。PLC のプログラム言語の種類と，それぞれのプログラム言語の略称を書け。

PLC のプログラム言語には，（1　　　　　）言語と（2　　　　　）形式言語がある。（1　　　　　）言語には，ラダー図：（3　　　　　）とファンクションブロック図：（4　　　　　）があり，（2　　　　　）形式言語には命令リスト：（5　　　　　）と構造化テキスト：（6　　　　　）がある。また，これら4言語の共通要素として，シーケンシャルファンクションチャート：（7　　　　　）がある。

(2)　次のラダーチャートの図記号の名称を（　　）の中に記入せよ。

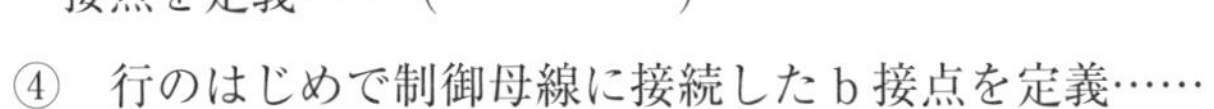

（1　　　　　）　（2　　　　　）　（3　　　　　）

(3)　図9の命令の意味に合ったプログラムの命令語を書け。

①　内部リレーや外部機器に接続した端子を定義……（　　　　　）

②　行のはじめで制御母線に接続した接点に並列接続された a 接点を定義……（　　　　　）

③　行のはじめで制御母線に接続した接点に直列接続された b 接点を定義……（　　　　　）

④　行のはじめで制御母線に接続した b 接点を定義……（　　　　　）

⑤　行のはじめで制御母線に接続した接点に直列接続された a 接点を定義……（　　　　　）

⑥　行のはじめで制御母線に接続した a 接点を定義……（　　　　　）

⑦　内部タイマの定義……（　　　　　）

⑧　プログラム終了の定義……（　　　　　）

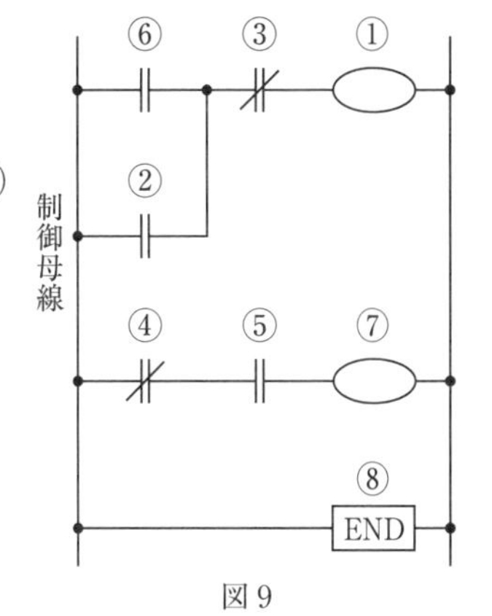

図9

(4) 図 10〜図 13 のラダーチャートからプログラマブルコントローラのプログラムを書け。

①のプログラム

ステップ番号	命令語	要素番号（デバイス）
0		
1		
2		
3	END	

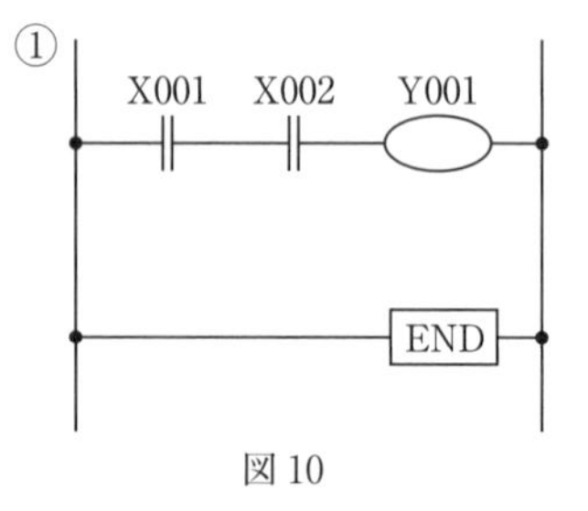

図 10

②のプログラム

ステップ番号	命令語	要素番号（デバイス）
0		
1		
2		
3	END	

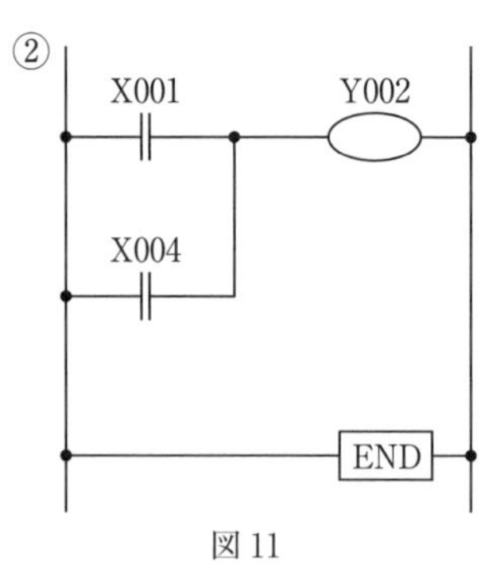

図 11

③のプログラム

ステップ番号	命令語	要素番号（デバイス）
0		
1		
2		
3		
4	END	

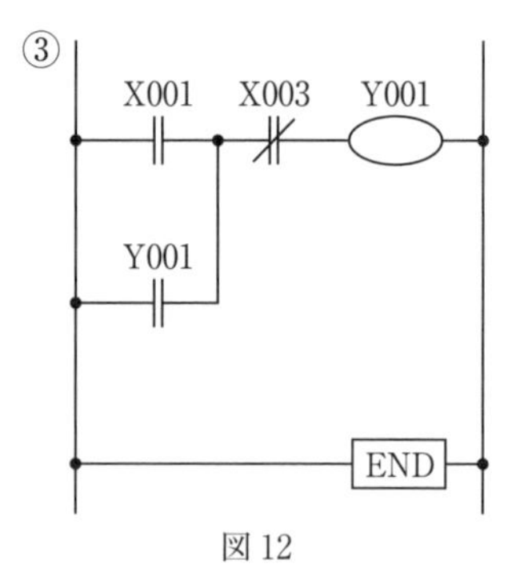

図 12

④のプログラム

ステップ番号	命令語	要素番号（デバイス）
0		
1		
2		
3		
6		
7		
8		
9	END	

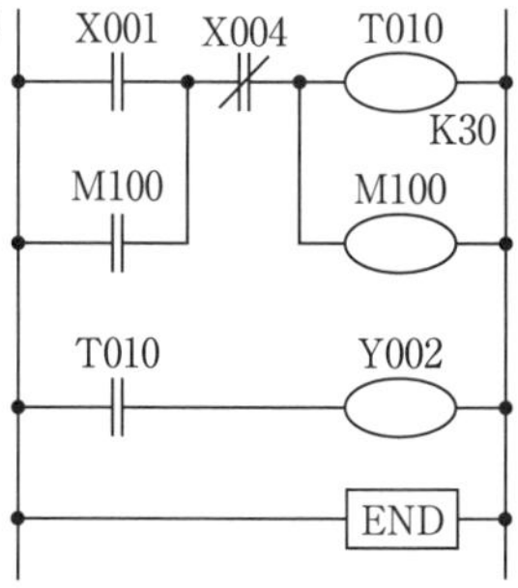

図 13

14　次の文章は，フィードバック制御についてのものである。適切な用語を下の解答群から選び，（　　）の中に記入せよ。

(1)　（1　　　　　）された結果をフィードバックし，（2　　　　　）と比較をしながら制御する方法をフィードバック制御という。

フィードバック制御は（3　　　　　），（4　　　　　），（5　　　　　），（6　　　　　），（7　　　　　）で構成される。（4　　　　　）は入力された（2　　　　　）と，（3　　　　　）で検出された検出量を（8　　　　　）し，その結果にもとづいて（7　　　　　）を操作して，適切な（9　　　　　）とする。

■解答群

制御量，制御対象，比較部，比較，制御，目標値，制御部，記憶部，調整，検出部，操作部

(2) 図14は，フィードバック制御の構成図である。適切な用語を下の解答群から選び，(　　)の中に記入せよ。

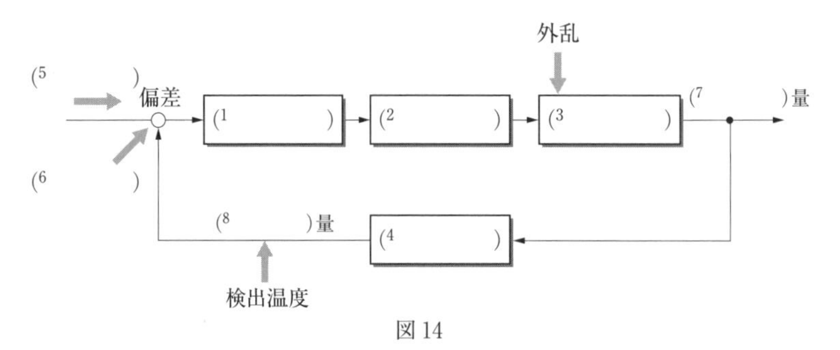

図14

■解答群
制御（量），移動（量），操作部，検出（量），制御対象，比較部，運動部，制御部，検出部，目標値

(3) フィードバック制御の分類について適切な用語を（　　）の中に記入せよ。

・目標値による分類

a　目標値が一定で変化しない制御：(1　　　　　)

b　目標値の変化に追従する制御：(2　　　　　)

・制御量の種類による分類

a　制御量が回転，位置，姿勢など，機械系で用いる制御：(3　　　　　)

b　制御量が温度，圧力，濃度など，化学工場などで用いる制御：(4　　　　　)

2 コンピュータ制御 （教科書 p. 179～196）

1 次の用語の正式名称を書け。

(1) パソコン（　　　　　）　➔ personal computer

(2) ワンチップマイコン（　　　　　）　➔ one-chip microcomputer

2 次の各問に答えよ。

(1) マイクロプロセッサを構成する装置を書け。

(1　　　　) (2　　　　)

(2) ROMとRAMの意味を答えよ。

ROM：(1　　　　　)　➔ read only memory

RAM：(2　　　　　)　➔ random access memory

3　コンピュータの基本構成である５つの装置を書け。

(1)　データやプログラムを入力する装置　（　　　　　）

(2)　データやプログラムを保存する装置　（　　　　　）

(3)　コンピュータ全体を操作する装置　（　　　　　）

(4)　データを出力する装置　（　　　　　）

(5)　論理演算や算術計算をする装置　（　　　　　）

4　図15のコンピュータの構成装置を結ぶ３つの信号線の名称と役割を答えよ。

➜ アドレスバス，データバス，コントロールバス

(1)　（名称：　　　　　）（役割：　　　　　　　）する信号線

(2)　（名称：　　　　　）（役割：　　　　　　　）する信号線

(3)　（名称：　　　　　）（役割：　　　　　　　）する信号線

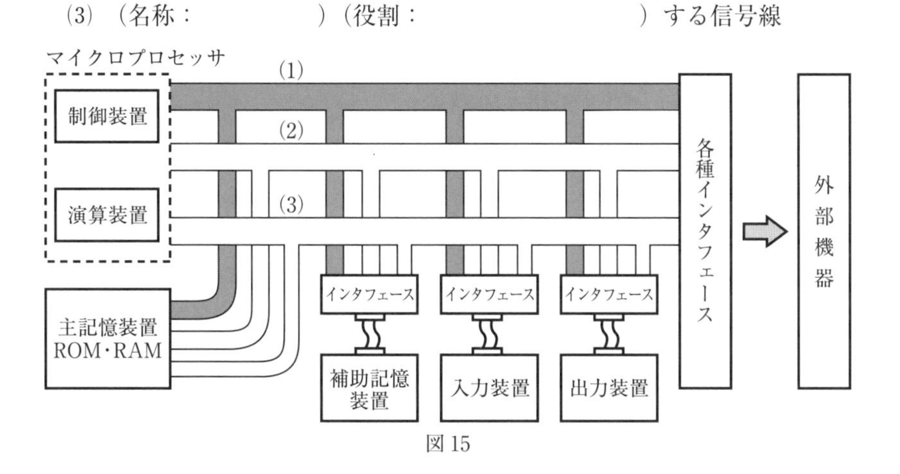

図15

5 次の文章は図16のコンピュータの働きを説明するものである。適切な用語を下の解答群から選び，(　　)の中に記入せよ。

(1　　　　　)は(2　　　　　)のプログラムを翻訳し，(3　　　　　)や(4　　　　　)に作業を命令する。(3　　　　　)は(2　　　　　)からデータを読みとり，演算を行い，(2　　　　　)に保存する。(4　　　　　)は入力されたデータやプログラムを(2　　　　　)に保存し，(1　　　　　)の命令により(2　　　　　)のデータを出力する。

➡ 入力装置と出力装置を合わせて入出力装置という。

■解答群

主記憶装置，記録装置，制御装置，処理装置，演算装置，計算装置，入出力装置

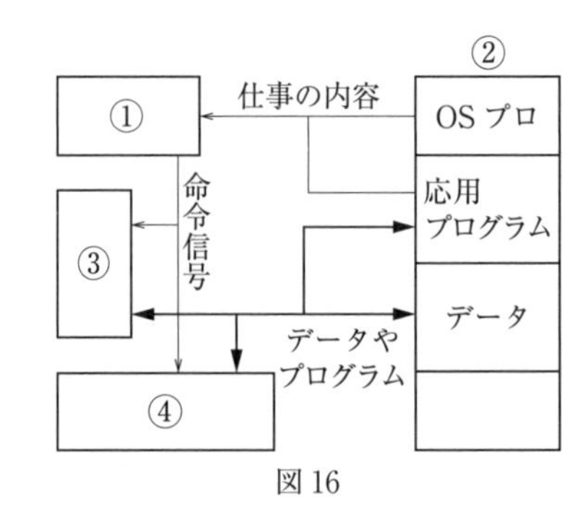

図16

6 コンピュータの信号について適切なものを下の解答群から選び，(　　)の中に記入せよ。

(1) コンピュータに用いられる電気信号は(1　　　　　)の高低で表す。

(2) その高低を1，0の(2　　　　　)信号に対応させる。

(3) 複数の信号線の1，0は(3　　　)数にし，プログラムでは(4　　　)数，または(5　　　)数に変換して扱う。

➡ 2〜5 V→1
0〜0.8 V→0
(入力信号の場合)

■解答群

ディジタル，16進，10進，8進，2進，アナログ，電圧，電流

7　信号の名称について，次の各問に答えよ。

(1)　時間に対して連続的に変化する信号　（　　　　　　）

(2)　時間に対して断続的に変化する信号　（　　　　　　）

(3)　複数ビットの信号を複数の信号線で転送する信号

（　　　　　　）

(4)　複数ビットの信号を１本の信号線で転送する信号

（　　　　　　）

8　次の文章は，インタフェースに関するものである。適切な用語を下の解答群から選び，（　　）の中に記入せよ。

コンピュータと外部機器が信号をやり取りするとき，その（1　　　　）をするのがインタフェースの役目である。

コンピュータと機械の間で信号のやり取りが行えるように，次のような変換が必要となる。

①　信号の（2　　　　）（アナログ，ディジタル）や（3　　　　）（電気，光など）を合わせる。

②　信号の（4　　　　）（レベル）を調整する。

③　信号（5　　　　）（直列，並列）や（6　　　　）を合わせる。

■解答群

伝送の方式，遮断，タイミング，橋渡し，種類，信号，性質，電気的条件，大きさ

9　次のことばの意味を説明せよ。

(1)　AD 変換：（　　　　　　　　　　　　　）

(2)　P-S 変換：（　　　　　　　　　　　　　）

➔　A はアナログ信号，D はディジタル信号である。

➔　P は並列信号，S は直列信号である。

10 次の文章は，コンピュータと外部機器とでデータのやり取りをする場合に関するものである。適切な用語を下の解答群から選び，(　　) の中に記入せよ。

信号のやり取りをする場合，送り手と受け手の (1　　　　　) が合わないとデータが (2　　　　　) に送れない。その対策として次のような方法がある。

(1) 送り手側のインタフェースに (3　　　　　) を保持しておき，受け手側のタイミングで取り出す方法がある。また，送り手側のタイミングでデータを転送し，(4　　　　　) のインタフェースに保持しておく方法もある。インタフェースにデータを保持しておくことを (5　　　　　) という。

(2) 送り手と受け手が (6　　　　　　) のやり取りをして転送のタイミングを合わせて，データのやり取りを行う方法がある。この方法を (7　　　　　　) という。

➜ 握手の意味がある。

■解答群

送り手側，ハンドシェイク，ハンドメイド，受け手側，ラッチ，タッチ，入出力データ，アドレス信号，正確，タイミング，コントロール信号

11 次の文章は，外部機器の接続についてのものである。適切な用語を下の解答群から選び，(　　) の中に記入せよ。

(1) コンピュータと外部機器を接続する場合，(1　　　　　) を通して接続する。(1　　　　　) には (2　　　　　) と (3　　　　　) のものとがある。(2　　　　　) は複数の外部機器と接続できるように，複数の (4　　　　　) をもった汎用性の高いものが用いられている。(3　　　　　　) は (5　　　　　) 回路や (6　　　　　) 回路など外部機器に応じた機能をもった回路を保有する。

■解答群

ケーブル，駆動，接続ポート，外部機器側，インタフェース，コンピュータ側，信号発生

(2)　次の文章は，図 17 の光電スイッチの回路について述べたものである。適切な用語を下の解答群から選び，（　　）の中に記入せよ。

光電スイッチ回路は（1　　　　　　）と（2　　　　　　）で構成される。（1　　　　　　）は，（3　　　　　），電流調整抵抗，電源で構成され，（4　　　　）を発生させる回路である。（2　　　　　　）は，（5　　　　　　），電流調整抵抗，波形整形機能が付いたNOT回路とで構成され，光を（6　　　　）に変換する回路である。

電源が接続されると，LEDは発光し，ホトトランジスタに入射する。そのときの出力信号は（7　　　　）である。溝に遮へい物が入り光を遮断すると，信号は（8　　　　）に変わる。（3　　　　）を（9　　　　），（5　　　　　　）を（10　　　　）という。

図 17 を参考にして考える。

ヒント

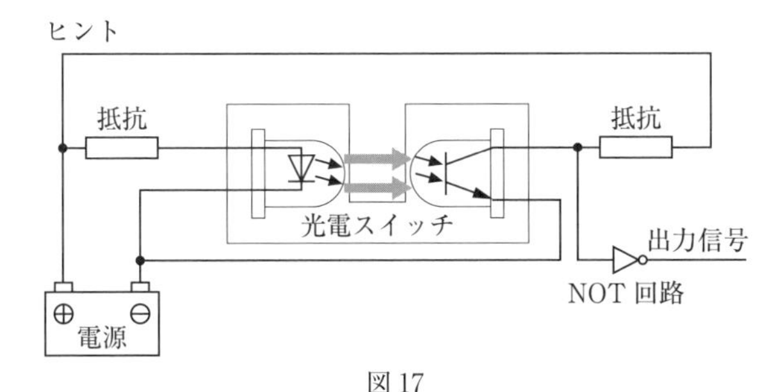

図 17

■解答群

1（ハイ），0（ロー），受光素子，発光素子，電気信号，光，LED 点灯回路，信号発生回路，ホトトランジスタ，LED，白熱ランプ

(3) 次の文章は，図 18 の空気圧シリンダなどを操作する電磁弁の駆動回路についてのものである。

適切な用語を下の解答群から選び，(　　) の中に記入せよ。

➜ 図 18 を参考にして考える。

電磁リレーのコイルはトランジスタの (1　　　　　) に接続する。

コンピュータから 1 の信号が入力されると，トランジスタの (2　　　　　) が (3　　　　　) になり，トランジスタが作動する。すると (4　　　　　) が流れ電磁リレーが作動し，a 接点が (5　　　　　)。(6　　　　　) が電磁弁に流れて弁が動き (7　　　　　) が作動する。

信号が 0 になると，(2　　　　　) が (8　　　　　) になるので，トランジスタの作動が (9　　　　　)，電磁リレーの a 接点が開き，電磁弁の弁と (7　　　　　) は (10　　　　　) に戻る。

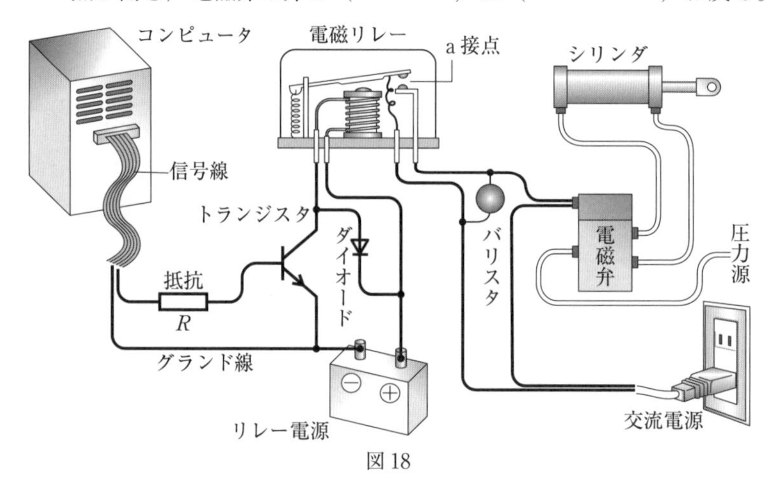

図 18

■解答群
ベース，閉じる，交流電流，コレクタ電流，コレクタ側，
もとの状態，正の電圧，0 V，止まり，シリンダ

12 次の文章は，組込みシステムに関するものである。適切な用語を次の解答群から選び，(　　) の中に記入せよ。

(1) 組込みシステムは，電子機器や工作機械の (1　　　　　) と (2　　　　　) のやり取りを行うための (3　　　　　) を備え，マイコンの (4　　　　　) によって，(5　　　　　) 制御や状態の (6　　　　　) をし，複雑な制御を行っている。

(2)　制御ソフトウェアの（[7]　　　　）や複雑化にともない，組込みシステムには，必要に応じて（[8]　　　　）が搭載されるようになってきた。（[8]　　　　）を採用することで，ネットワーク機能やコンピュータの（[9]　　　　）資源を有効に利用するための（[10]　　　　），入出力信号の処理，さらには制御ソフト（[11]　　　　）の（[12]　　　　）や再調整など，生産から（[13]　　　　）まで，多くの点で（[14]　　　　）をはかることができる。

■解答群
OS，タスク管理，機能拡張，データ，インタフェース，メンテナンス，タイミング，判断，開発，効率化，駆動装置，ハードウェア，ソフトウェア，分業化

13　図 19 は，制御用マイコンの構成例である。空欄に入る語句を書け。

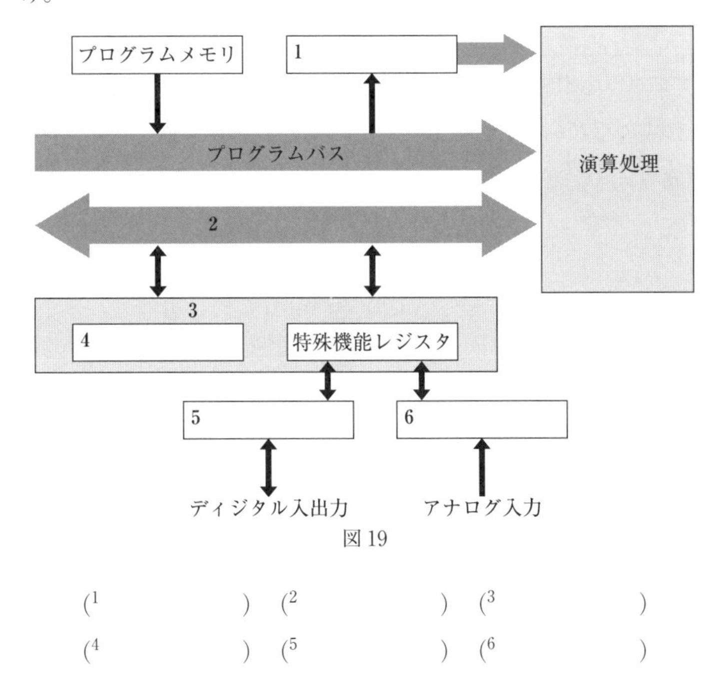

図 19

（[1]　　　　）（[2]　　　　）（[3]　　　　）
（[4]　　　　）（[5]　　　　）（[6]　　　　）

14　制御用マイコン（ワンチップマイコン）に内蔵されている機能を書け。

15 次の文章は，接近警報装置を制御する組込みシステムに関するものである。適切な用語を下の解答群から選び，（　　）の中に記入せよ。

(1) 測距センサユニットは，赤外線の（1　　　　　）である（2　　　　　）と反射して戻ってきた赤外線を検出する（3　　　　　）である（4　　　　　）が一体化したもので，距離に応じた（5　　　　　）電圧が出力される。

(2) 使用したワンチップマイコンはクロック発振回路，（6　　　　　）コンバータ，（7　　　　　）回路等を１つのチップ内に収めたもので，外付け回路の（8　　　　　）数を少なく抑えることができる。

(3) 接近警報装置は，無人搬送車の（9　　　　　）防止，工作機械や作業区域の（10　　　　　）装置などに用いられる。

■解答群

AD，DA，PSD，LED，衝突，デジタル，アナログ，パルス，安全，危険，素子，レジスタ，比較，受光部，増幅部，発光部

16 次の各項目を並べかえて，プログラム仕様書のとおりに，接近警報装置が動作するプログラム作成の手順を示せ。

ア　実行可能プログラムの作成

イ　実験

ウ　目的プログラムの作成

エ　原始プログラムの作成

オ　実行

カ　制御用マイコンに書き込み

1	2	3	4	5	6

3 ネットワーク技術 （教科書 p. 197〜202）

1 次の文章は，企業内ネットワークに関するものである。各問に答えよ。

(1) 次の用語の正式名称と意味を書け。

① LAN（正式名称：　　　　　　　　　　　　　　　　　　　）

（意味：　　　　　　　　　　　　　　　　　　　　　　　　）

➜ local area network

② WAN（正式名称：　　　　　　　　　　　　　　　　　　　）

（意味：　　　　　　　　　　　　　　　　　　　　　　　　）

➜ wide area network

(2)　工場内の LAN に要求されることを６つ書け。

1 ______________________________

2 ______________________________

3 ______________________________

4 ______________________________

5 ______________________________

6 ______________________________

2　次の文章は，PLC 間のネットワークに関するものである。適切な用語を下の解答群から選び，（　　）の中に記入せよ。

(1)　イーサネット通信　　イーサネットとは，私たちが普段パソコンで使用しているネットワークと同様のもので，工場内の（1　　　　）を利用したものである。PLC でイーサネットを利用した通信を行うためには，（2　　　　）を利用する。（2　　　　）には，ほかとは重複しない同じネットワークに所属する（3　　　　）（例：192.168.1.3）を割り振る。このように接続すると，パソコンで指定したPLCの（4　　　　）や（5　　　　），（6　　　　）を行うことができる。また，各 PLC 間で信号のやり取りが行える。

(2)　オープンフィールドネットワーク通信　　オープンフィールドネットワーク通信は，おもに（7　　　　）をコントロールするためのネットワークである。遠隔にある機器を（8　　　　）させることや（9　　　　）のコントロール，（10　　　　）のコントロールなど，（11　　　　）することを得意としている。複数の PLC をコントロールするためには，統括している PLC を（12　　　　）に，統括されている PLC を（13　　　　）に設定する。（12　　　　）の PLC で（14　　　　）などを行えば，PLC 間で双方にコントロールすることができる。

■解答群

ロボット，イーサネットユニット，割付設定，生産状況，監視，LAN，外部機器，入出力，データメモリ，ローカル局，管理，指示，マスタ局，IP アドレス

3 次の文章は，ネットワークシステムに関するものである。適切な用語を下の解答群から選び，（　　）の中に記入せよ。

(1) 光通信は，（1　　　　　　　　）を使用して通信を行う。光通信で結ぶ回線を（2　　　　　　）という。光を利用することによって，電気信号よりも（3　　　　　　）がよく，（4　　　　　　）の影響も受けにくいうえ，伝送速度は 500 Mbps や 10 Gbps などで（5　　　　　　）・（6　　　　　　）の通信ができる。また，製造技術の進歩により，高性能で安価な（1　　　　　　　　）が製造されるようになり，（2　　　　　　）だけでなく，光電話をはじめ，（7　　　　　　）や（8　　　　　　　　）などにも使用されている。

■解答群

海底ケーブル，光ファイバケーブル，ノイズ，高速，大容量，
光通信網，効率，インターネット回線

(2) 通信障害の原因であるノイズ対策を3つ書け。

1 ______________________________

2 ______________________________

3 ______________________________

第6章　ロボット技術

1 ロボットの基礎　（教科書 p. 206～224）

1　産業用ロボットは第二次産業で活躍している。第二次産業とはどのような産業をいうか，調べて答えよ。また，第一次産業，第三次産業についても調べて答えよ。

第一次産業：(　　　　　　　　　　　　　　　　)

第二次産業：(　　　　　　　　　　　　　　　　)

第三次産業：(　　　　　　　　　　　　　　　　)

2　溶接ロボットに使用される以下のセンサについて説明せよ。

(1)　アークセンサ

(2)　ワイヤタッチセンサ

3　従来の産業用ロボットは，安全を確保するために柵で囲い，隔離された条件下での作業に限定され，協調作業ができなかった。人とロボットが同じ空間で作業できる協働ロボットを取り入れるメリットを答えよ。

4　従来の産業用ロボットに比べた協働ロボットの短所を答えよ。

5 次の(ア)～(オ)に示すシリアルリンクマニピュレータを下表に分類せよ。

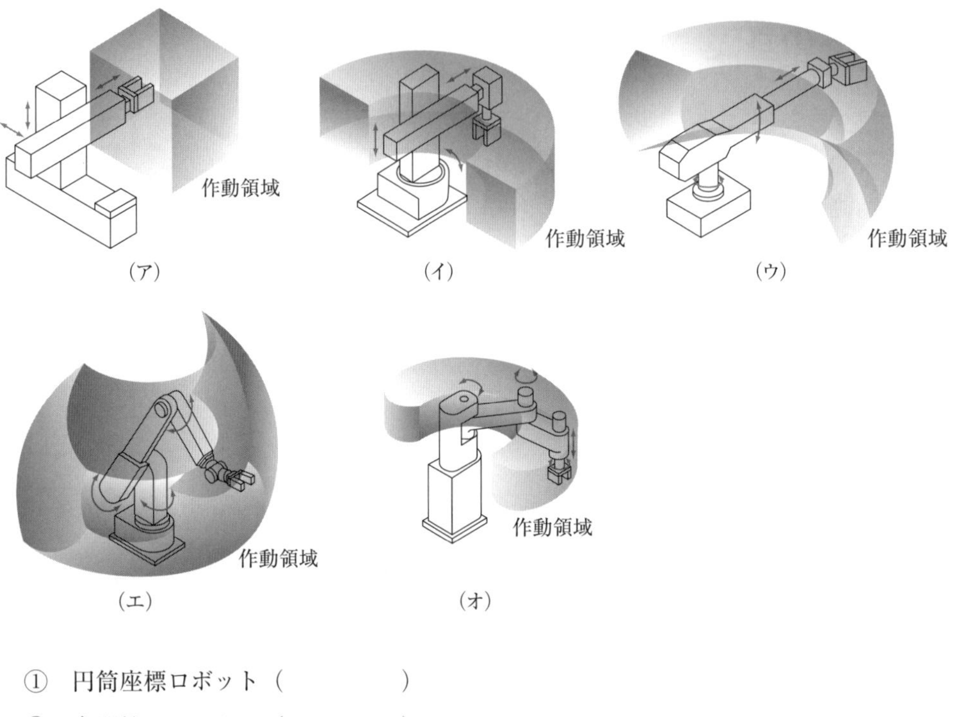

① 円筒座標ロボット（　　　　）
② 多関節ロボット　（　　　　）
③ 極座標ロボット　（　　　　）
④ 直角座標ロボット（　　　　）
⑤ スカラロボット　（　　　　）

6 図1のような波動歯車装置で，フレクスプラインの歯数を $z = 240$ とすれば，減速比はいくらか。

$$減速比 = \frac{z}{(z+2)-z} = \frac{z}{2} = \frac{(\qquad)}{(\qquad)} = (\qquad)$$

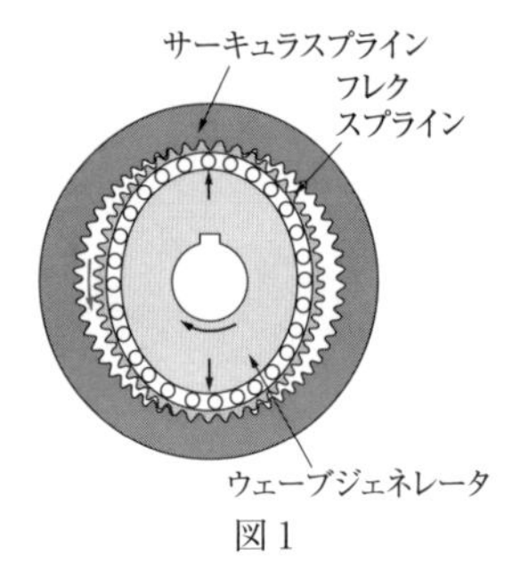

図1

2 ロボットの制御システム　（教科書 p. 225～237）

1　以下の内界センサを検出の種類毎に下表に当てはめよ。

検出の種類	センサ・変換器	検出の種類	センサ・変換器
位置・角度	ア	力・トルク	オ
変位	イ	姿勢	カ
速度・角速度	ウ	温度	キ
加速度	エ		

(1)　差動トランス（　　　）

(2)　ひずみゲージ（　　　）

(3)　マイクロスイッチ（　　　）

(4)　サーミスタ（　　　）

(5)　ロータリエンコーダ（　　　）（　　　）

(6)　ジャイロスコープ（　　　）

(7)　加速度センサ（　　　）

2　以下に示す外界センサを下表の(ア)～(ウ)に割り振って答えよ。

	外界センサ	機　能	センサ・変換器
非接触形センサ	視覚センサ	非接触で，光を媒体として物体の位置の計測，形状・姿勢・色彩などの認識に用いるセンサ。	(ア)
	近接覚センサ	センサと対象物体が十数 cm から数 mm 程度まで接近した状態で，対象物体との間隔や傾き角度を検出するためのセンサ。ロボットと対象が接近した状態で作業が行われる場合の衝突防止や運動部の動きを制御する。	(イ)
接触形センサ	触覚センサ	接触覚センサ：対象物体に接触したかどうかを2値信号として検出するセンサ。 すべり覚センサ：ロボットと物体との間の接触面内での相対的な動きを知る感覚センサ。 力覚センサ：ロボットが対象に与えている力とモーメントを検出するセンサ。	(ウ)

(1)　ひずみゲージ（　　　）

(2)　磁気センサ（　　　）

(3)　マイクロスイッチ（　　　）

(4)　ホトダイオード（　　　）

(5)　超音波センサ（　　　）

3 ロボット動作の制御方式に関する以下の文の（　　）にあてはまる言葉を書き入れよ。

(1) 位置決め点と姿勢のみを問題とし，その点に向かう途中の経路についてはとくに問題としない制御方式を（1　　　　　）制御方式という。

(2) 位置決め点だけでなく，連続した動作経路が指定されている制御方式を（2　　　　　）制御方式という。この制御方式では経路が（3　　　　　）上で指定される。

4 図2のような定速運転で目的位置までの移動に必要な信号パルス $L = 20000$ パルス，移動時間を 4 s とすると，パルスレート Pr はいくらか。

$$P_r = \frac{L}{t} = \frac{(\qquad\qquad)}{(\qquad\qquad)} = (\qquad\qquad) \text{ パルス/s}$$

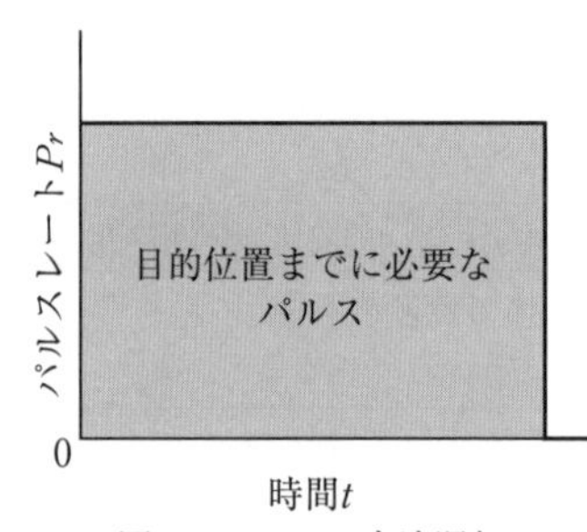

図2　モータの定速運転

5 図3のように，静止状態から等加速度で加速し，0.4 s 後にパルスレート $P_r = 8000$ パルス/s になった。パルス増加率 Pa［パルス/s^2］はいくらか。

$$P_a = \frac{P_r}{t_a} = \frac{(\qquad\qquad)}{(\qquad\qquad)} = (\qquad\qquad) \text{ パルス/s}^2$$

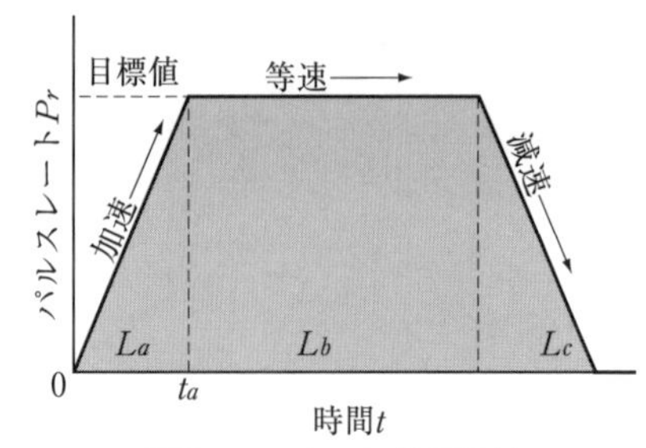

図3　モータの加減速運転

6　図3で，静止状態から0.5 sで等速運転にしたい。

加速時に必要なパルス $L_a = 4000$ パルスとすると，パルス増加率 P_a はどれだけにすればよいか。

$$L_a = \frac{P_r \times t_a}{2}$$

上の式を $P_r =$ からはじまる式に変形する。

$$P_r = \frac{(\qquad\qquad) \times (\qquad\qquad)}{(\qquad\qquad)}$$

$$= \frac{(\qquad\qquad) \times (\qquad\qquad)}{(\qquad\qquad)} = (\qquad\qquad)\ \text{パルス/s}$$

$$P_a = \frac{P_r}{t_a} = \frac{(\qquad\qquad)}{(\qquad\qquad)}$$

$$= (\qquad\qquad)\ \text{パルス/s}^2$$

3 ロボットの操作と安全管理 （教科書 p. 238～244）

1 ロボットの教示方法に関する以下の文章の（　　）に当てはまる言葉を書き入れよ。

ペンダントを用いてロボット本体を動かして座標や姿勢を教示する方法を（[1]　　　　）教示という。各関節の位置や姿勢，アームの先端の座標などをペンダントで記録することで一連の流れを覚えさせ，記録した動作を再生させて確認する。

作業者が直接ロボットを手で動かして動作を教え込ませるティーチング方法を（[2]　　　　）教示という。人がロボットの先端を手で動かしてロボットに動きを記憶させることでティーチングした通りに動作する。

パソコンなどの画面上でプログラムを作成し，シミュレーションを行いながらロボットの動作を決め，ロボットに格納する方法を（[3]　　　　）教示という。

AI によってティーチングなしでも動作できる産業用ロボットもある。ティーチングがいらず，ティーチングマンの育成や外注が必要ないため，人件費削減にもなる。ただし導入コストはかかる。

2 次の事故事例の内容を見て，改善すべき点を答えなさい。

教示作業員 A がロボットの稼働を OFF にして，もうひとりの作業員 B に指示を出していた。そのふたりとは別の作業員 C が確認作業のため，ロボットの操作を ON にして作業をした。このとき，稼働させたロボットだけでなく，教示作業員が携わっている場所も稼働してしまった。その結果，教示作業員が全治 2 カ月の傷を負う事故になった。

第７章　生産の自動化技術

1 CAD/CAM （教科書 p. 248～254）

1 次の文章は，CAD/CAM の基礎について述べたものである。下の解答群から適切な用語を選び，（　　）の中に記入せよ。

コンピュータを利用して設計・製図を効率よく行えるシステムを CAD システムという。設計業務における CAD の利用には（[1]　　　　　　　）（[2]　　　　　　　）（[3]　　　　　　　）のような利点がある。

CAD システムには，平面的に図形処理を行う（[4]　　　　）と，コンピュータグラフィックスを導入して，物体の（[5]　　　　）を作成する機能をもつ（[6]　　　　）がある。

CAD データをもとに，コンピュータを利用して自動化した生産システムを（[7]　　　　）システムという。

■解答群

形状モデル，設計の効率化，三次元 CAD，二次元 CAD，CAM，設計者の負担軽減，CAD データの有効活用

2 次の文章は，二次元 CAD について述べたものである。下の解答群から適切な用語を選び，（　　）の中に記入せよ。

従来の手書きによる製図にように，平面図を（[1]　　　　）でかくのが二次元 CAD である。ディスプレイに表示される（[2]　　　　）に必要な情報を（[3]　　　　）から選んで作図する。

それぞれの要素や線種ごとに画面表示を切り換えたり，重ね合わせて表示できる画層（[4]　　　　）機能をそなえている。

■解答群

コンピュータ，レイヤ，図形入力，操作メニュー

3 次の文章は，三次元CADについて述べたものである。下の解答群から適切な用語を選び，（　　）の中に記入せよ。

三次元CADは物体の形状を（1　　　　　　）に描画するため，実際の形状がわかりやすい。かいた部品は，それらをいくつか使って画面上で（2　　　　　　）ことができる。また，可動部を動かすこともできるので，部品どうしの（3　　　　　　）がないか確認できる。部品や製品ごとの（4　　　　　　）もできる。

実際の製品を生産する前にコンピュータ上で多くのことが（5　　　　　　　　）できるようになった。このことは製品の開発期間を（6　　　　　　）できるだけでなく，（7　　　　　　）という点においても有益なものとなっている。また，動画の生成機能は製品の（8　　　　　　　　）においても欠かせないものとなっている。

■解答群

強度解析，シミュレーション，プレゼンテーション，環境保護，立体的，短く，干渉，組み立てる

4 次の文章は，CAD/CAMシステムの構成について述べたものである。下の解答群から適切な用語を選び，（　　）の中に記入せよ。

製品の製造において，設計・製図を（1　　　　　　）で行い，加工は（2　　　　　　）で行う。このCADシステムとCAMシステムを組み合わせることによって，設計・製図からNC加工プログラムの作成，産業用ロボットやNC工作機械による加工までが（3　　　　　　）して行えるようになった。このような設計から加工までの一連の作業を（4　　　　　　）するコンピュータ支援システムを，CAD/CAMシステムという。

■解答群

一貫，CAD，自動化，CAM

5 次の文章は，CAEシステムとCATシステムの構成について述べたものである。次の解答群から適切な用語を選び，（　　）の中に記入せよ。

製品を製造するために必要な技術情報を，コンピュータを用いて統合的に処理し，製品の性能や製造工程などを事前に評価する技術が開発され，これを（1　　　　　　　　　　　　　　　　）という。

コンピュータを利用して，製品の測定・検査・評価などを自動で行うようにしたものを（2　　　　　　　　　　　　）という。

■解答群

コンピュータ援用エンジニアリング（CAE），コンピュータ援用検査システム（CAT）

2 NC 工作機械 （教科書 p. 255～264）

1 次の文章は，NC 化への変遷について述べたものである。下の解答群から適切な用語を選び，（　　）の中に記入せよ。

産業革命が起こったのは 18 世紀中ごろからである。それまでは（1　　　　　）や水力・風力を動力としていた。

工作機械の進歩とともに（2　　　　　）を動力として使う生産方式が発展した。18 世紀後半に（3　　　　　　）が発明されると，電力が産業目的に用いられるようになり，工作機械の動力として（4　　　　　）が使われ性能が向上した。

19 世紀には，加工工具に使われる材料や（5　　　　　　　）の発達にともない，生産性が高く，また精度の高い工作機械が発明された。

19 世紀半ばには NC 工作機械が発展し，（6　　　　　　　）や NC レーザ加工機・ワイヤカット放電加工機・ターニングセンタなど，多軸制御ができる機械も開発されている。

20 世紀に入ると三次元プリンタが急速に発展し，複雑な（7　　　　　）を作ることができるようになった。

■解答群

マシニングセンタ，タービン発電機，立体構造，蒸気機関，家畜，測定技術，モータ

2 NC 工作機械のしくみについて，次の問いに答えよ。

(1) NC 旋盤としての，次の各部の特徴を書け。

① 主軸題 ＿＿＿＿＿＿＿＿＿＿＿＿

② 送り機構 ＿＿＿＿＿＿＿＿＿＿＿＿

③ 刃物台 ＿＿＿＿＿＿＿＿＿＿＿＿

④ ベッド ＿＿＿＿＿＿＿＿＿＿＿＿

⑤ ツールセッタ ＿＿＿＿＿＿＿＿＿＿＿＿

(2) 次の文章は，マシニングセンタの自動工具交換装置，自動パレット交換装置について述べたものである。下記の問いに答えよ。

ATCは自動工具交換装置のことで，複数のツールホルダを(1　　　　　)の指定の番地に収納しておき，主軸に装着するツールホルダを必要に応じて自動的に変換する装置である。また，工作物を取り付けるテーブルを，交換可能なパレットテーブルにして，これを自動的に交換する自動パレット交換装置(2 APC・APD)を備えたものもある。工作物を自動的に交換することによって，長時間の無人運転も可能になる。

① 文の(1　)の中に適切な語句を記入せよ。

② 文の(2　)のうち適切な語句を選び，○でかこめ。

③ 文中のATCは，何を訳したものの頭文字か。英単語を書け。

A__________ T__________ C__________

3 生産の自動化システムの構成 (教科書 p. 265～279)

1 次の文章は，生産の自動化について述べたものである。適切な語句を(　)の中に記入せよ。

工場での生産システムの自動化は，(1　　　　　　　　　　)といわれている。また，多品種少量生産にも柔軟に対応できる生産システムを(2　　　　　　　　　　)という。

2 次の文章は，工場の自動化について述べたものである。適切な語句を(　)の中に記入せよ。

ホストコンピュータを中心として，それぞれの工程の情報をやり取りする(1　　　　　)が構築され，企業・工場全体の自動化へと移行してきた。このように，各種の自動化機能を統合することによって，生産の無人化，すなわち(2　　　　　)が技術的に可能となった。

3 次の略称が意味する英単語を____に，(　)にその日本語訳を書け。

(1) QCD

Q__________(　　　　　)，

C__________(　　　　　)，

D__________(　　　　　)

(2) PDCA

P__________(　　　　　)，D__________(　　　　　)，

C__________(　　　　　)，A__________(　　　　　)，

(3)　5M

＿＿＿＿＿＿（　　　　　），
＿＿＿＿＿＿（　　　　　），
＿＿＿＿＿＿（　　　　　），
＿＿＿＿＿＿（　　　　　），
＿＿＿＿＿＿（　　　　　）

4　図１は組立作業の日程表である。日程表を見て手配番数について答えよ。

①　部品Ａの手配番数＝（1　　）
②　部品Ｃの手配番数＝（2　　）
③　部品Ｇの手配番数＝（3　　）
④　部品Ｈは総組立完成日の（4　　　　）に着手する必要がある。

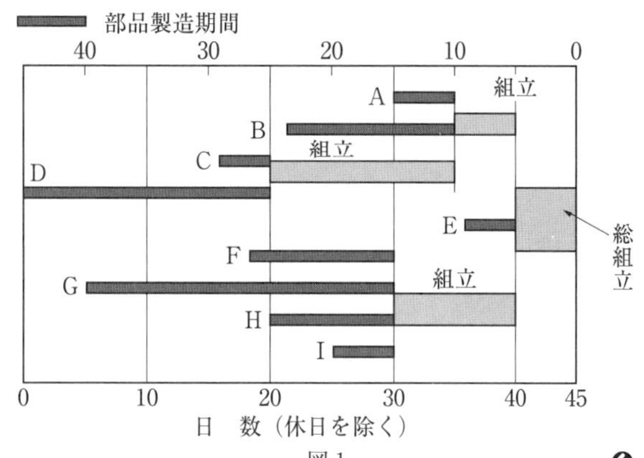

図１

➔ 手配番数とは，最終完成日を０として，何日前に着手する必要があるかを示す日数のこと。図の上方の目盛の数字が手配番数を表す。

5　トヨタ生産方式は，ムダを徹底的に排除し生産性の向上をはかった生産方式であり，ジャスト・イン・タイムと自働化という２つの考え方に基づいている。次の各問に答えよ。

(1)　ジャスト・イン・タイムとは，何か。

(2)　自働化とは，何か。

(3)　７つのムダとは，何か。

6　MRP（資材所要量計画）と比べ，MRPⅡ，MRPⅢの違いは何か。

(1)　MRPⅡ

(2)　MRPⅢ

7 次の文章は，ERP システムと SCM について述べたものである。下の解答群から適切な用語を選び，(　　) の中に記入せよ。

(1) ERP システムとは，MRP と販売・会計・人事などの (1　　　　　) を連結させ，企業における (2　　　　　) の大部分を全体的に計画・(3　　　　　) し，効率的な (4　　　　　) を行うための生産管理システムである。

(2) SCM（サプライチェーンマネージメント）は，素材・部品・組立・卸売・小売・顧客にいたる物や (5　　　　　) の供給を (6　　　　　) で結び，販売情報・(7　　　　　) などを，部門間や (8　　　　　) で即時に共有する生産管理システムである。グループ全体の (9　　　　　) を最小とするなど，経営業務全体の効率を高めながら (10　　　　　) を実現する。

■解答群

ネットワーク，業務システム，需要情報，経営活動，企業間，管理，在庫，サービス，顧客満足，基幹業務

生産技術演習ノート

解答編

実教出版株式会社

「生産技術」を学ぶにあたって

1 工業技術の発達

1 トランジスタ **2** コンピュータ
3 集積回路（IC） **4** 小型化 **5** プログラム
6 加工内容

2 工業と社会のかかわり

1 テレビ 洗濯機 冷蔵庫
2 **1** 多種少量生産 **2** 変種変量生産
3 混流生産 **4** ビックデータ **5** IoT **6** AI
3 **1** 自家発電設備 **2** 照明機器
3 無人搬送車 **4** 搬送装置 **5** 環境設備
6 空気調和 **7** 防災 **8** リサイクル
4 生産工場にネットワークが導入され，プログラムによって制御や管理をするため

3 国際化への対応

1 品質管理 **2** 品質保証 **3** 監査
4 ISO9000 **5** サービス **6** 環境
7 PDCA サイクル **8** ISO14000 **9** 企業努力
10 取得

4 ものづくりにおける技術倫理

1 **1** CIM **2** 受注 **3** 生産計画
4 コントロール **5** インターネット
6 WAN **7** 統合化 **8** 企業セキュリティ
9 生産者 **10** 漏洩 **11** 知的所有権
12 偽装 **13** モラル **14** コンプライアンス
15 倫理活動
2 公益社団法人日本技術士会のホームページから「技術士制度」について検索し，まとめる。

技術士	技術部門
総合技術監理部門	①総合技術監理
総合技術監理部門を除く技術部門	①機械 ②船舶・海洋 ③航空・宇宙 ④電気電子 ⑤化学 ⑥繊維 ⑦金属 ⑧資源工学 ⑨建設 ⑩上下水道 ⑪衛生工学 ⑫農業 ⑬森林 ⑭水産 ⑮経営工学 ⑯情報工学 ⑰応用理学 ⑱生物工学 ⑲環境 ⑳原子力・放射線

5 地球環境問題と生産

1 循環型生産システムの例は，企画・開発・設計部門でリサイクルしやすい材料開発や取りはずし容易な設計をする。生産では，資源の有効活用や解体技術の研究をする。消費者は，修理部品交換回収や中古部品の供給をする。使用済み自動車から，解体技術により再利用して資源化する。その技術を開発・設計部門に循環させる。

第１章　直流回路

1 電気回路

1　**1**　直流　**2**　交流　**3**　自由電子　**4**　導体　**5**　絶縁体　**6**　半導体　**7**　負荷　**8**　電源

2　**1**　Q　**2**　t

3　(1)　1 A　(2)　0.02 A　(3)　2 mA

4

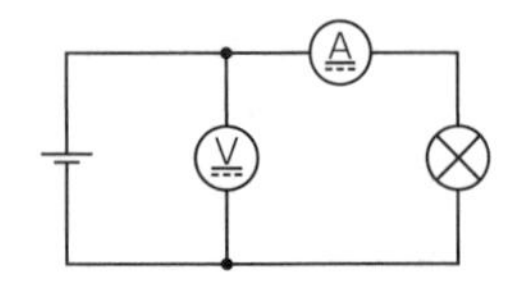

5　**1**，**2**　電気抵抗，抵抗　**3**　オーム（Ω）　**4**　起電力　**5**　ボルト（V）

6　**1**　マイクロアンペア　**2**　mA　**3**　キロオーム　**4**　メガオーム　**5**　mV

7　(1)　200　(2)　0.5　(3)　3000　(4)　500　(5)　0.004　(6)　2500　(7)　8　(8)　0.2　(9)　100

2 オームの法則

1　**1**　RI　**2**　V　**3**　R　**4**　コンダクタンス　**5**　G　**6**　ジーメンス（S）　**7**　RI　**8**　電圧降下

2　(1)　$I = \dfrac{20}{40} = 0.5\text{ A}$

(2)　$I = \dfrac{5}{40} = 0.125\text{ A} = 125\text{ mA}$

(3)　$I = \dfrac{1}{40} = 0.025\text{ A} = 25\text{ mA}$

(4)　$I = \dfrac{150}{40} \times 10^{-3} = 3.75 \times 10^{-3} = 3.75\text{ mA}$

(5)　$I = \dfrac{100}{40} = 2.5\text{ A}$

(6)　$I = \dfrac{25}{40} = 0.625\text{ A} = 625\text{ mA}$

(7)　$I = \dfrac{600 \times 10^{-3}}{40} = 15 \times 10^{-3} = 15\text{ mA}$

3　(1)　$R = \dfrac{\text{V}}{\text{A}} = \dfrac{12}{6} = 2\,\Omega$

(2)　$R = \dfrac{12}{2} = 6\,\Omega$

(3)　$R = \dfrac{12}{400 \times 10^{-3}} = \dfrac{12000}{400} = 30\,\Omega$

(4)　$R = \dfrac{12}{30 \times 10^{-3}} = \dfrac{12000}{30} = 400\,\Omega$

(5)　$R = \dfrac{12}{12 \times 10^{-6}} = 10^6 = 1\text{ M}\Omega$

4　$V = E - rI$

ゆえに，$r = \dfrac{E - V}{I} = \dfrac{1.5 - 1.3}{1.2} = 0.167\,\Omega$

5　(1)　$R_1 + R_2$　(2)　6　(3)　2

6　(1)　$R_0 = \dfrac{2 \times 8}{2 + 8} = \dfrac{16}{10} = 1.6\,\Omega$

(2)　$R_0 = \dfrac{3 \times 10^3 \times 17 \times 10^3}{3 \times 10^3 + 17 \times 10^3} = \dfrac{51 \times (10^3)^2}{20 \times 10^3}$

$= 2.55 \times 10^3 = 2.55\text{ k}\Omega$

(3)　$R_0 =$ はじめに 1 kΩ と 9 kΩ を和分の積で計算する。$\dfrac{1 \times 10^3 \times 9 \times 10^3}{1 \times 10^3 + 9 \times 10^3} = 0.9 \times 10^3 = 0.9\text{ k}\Omega$，

つぎに，この 0.9 kΩ と残りの 0.1 kΩ を計算する。$\dfrac{0.9 \times 10^3 \times 0.1 \times 10^3}{0.9 \times 10^3 + 0.1 \times 10^3} = 0.09 \times 10^3 =$ $0.09\text{ k}\Omega = 90\,\Omega$

(4)　はじめに 4 kΩ と 6 kΩ を和分の積で計算する。

$\dfrac{4 \times 10^3 \times 6 \times 10^3}{4 \times 10^3 + 6 \times 10^3} = 2.4 \times 10^3 = 2.4\text{ k}\Omega$

次に，この 2.4 kΩ と残りの 2.6 kΩ を計算する。

$R_0 = \dfrac{2.4 \times 10^3 \times 2.6 \times 10^3}{2.4 \times 10^3 + 2.6 \times 10^3} = 1.248 \times 10^3$

$= 1.25\text{ k}\Omega$

7　(1)　$R_0 = \dfrac{10 \times 40}{10 + 40} = \dfrac{400}{50} = 8\,\Omega$

(2)　$I_1 = \dfrac{16}{10} = 1.6\text{ A}$，$I_2 = \dfrac{16}{40} = 0.4\text{ A}$

8　**1**　R_2R_4　**2**　R_2R_4　**3**　R_1　**4**　3

9　(1)　$R = \dfrac{2 \times 6}{4} = 3\,\Omega$

(2)　$I_1 = \dfrac{15}{2 + 3} = 3\text{ A}$

(3)　$I_2 = \dfrac{15}{4 + 6} = 1.5\text{ A}$

10　(1)　$I = I_1 + I_2$

(2)　I が流れている抵抗 5 Ω の電圧降下は，$5 \times 2 = 10\text{ V}$，I_1 が流れている抵抗 5 Ω の両端の電圧は，$12 - 10 = 2\text{ V}$ である。したがって，R の両端の電圧も 2 V になる。

$I_1 = \dfrac{2}{5} = 0.4\text{ A}$，$I_2 = I - I_1 = 1.6\text{ A}$

$R = \dfrac{2}{1.6} = 1.25\,\Omega$

11　(1)　$I_1 = I_2 + I_3$　……(1)

(2)　$3 = 10\,I_2 - 40\,I_3$　……(2)

(3)　$20 = 20\,I_1 + 40\,I_3$　……(3)

(4) 式(3)に式(1)を代入して，整理する。

$20 = 20(I_2 + I_3) + 40 I_3$

$20 = 20 I_2 + 60 I_3$ ……(4)

式(4) − 式(2) × 2

$14 = 140 I_3$ ゆえに，$I_3 = 0.1$ A

式(4)に $I_3 = 0.1$ を代入して，

$20 = 20 I_2 + 60 \times 0.1$，$I_2 = 0.7$ A

式(1)に I_2，I_3 を代入して，$I_1 = 0.8$ A

(5) $40 \times I_3 = 40 \times 0.1 = 4$ V

3 抵抗の性質

1 **1** l **2** A **3** オームメートル（Ω・m）
4 増加 **5** 減少 **6** 固定抵抗器
7 可変抵抗器 **8** 半固定抵抗器

2 (1) $R = \rho \dfrac{l}{A}$

$= 1.7 \times 10^{-8} \dfrac{200}{3.14 \times (1.6 \times 10^{-3})^2}$

$= 0.423\,\Omega$

(2) $R = 1.7 \times 10^{-8} \dfrac{5000}{3.14 \times (1.6 \times 10^{-3})^2}$

$= 10.6\,\Omega$

4 電力と電流の熱作用

1 **1** $\dfrac{V^2}{R} t$ **2** $RI^2 t$ **3** VIt **4** Pt

2 **1** 熱起電力 **2** 熱電流 **3** ゼーベック効果
4 ペルチエ効果

5 電流の化学作用と電池

1 **1** 電池 **2** 放電 **3** 充電 **4** 一次
5 二次 **6** 鉛蓄電池 **7** 二次 **8** 太陽電池
9 燃料電池

第2章 磁気と静電気

1 電流と磁気

1 **1** 磁極 **2** N極 **3** S極 **4** 磁力
5 磁化 **6** 磁界 **7** 磁力線 **8** 磁束
9 磁束密度

2 $F = 6.33 \times 10^4 \times \dfrac{4 \times 10^{-6} \times 5 \times 10^{-6}}{(2 \times 10^{-2})^2}$

$= 6.33 \times 10^4 \times \dfrac{4 \times 10^{-6}}{4 \times 10^{-4}} \times 5 \times 10^{-6}$

$= 6.33 \times 10^4 \times 10^{-2} \times 5 \times 10^{-6}$

$= 3.17 \times 10^{-3}$ N

3 磁束密度 B［T］は，

(1) $B = \dfrac{\phi}{A} = \dfrac{4 \times 10^{-4}}{20 \times (10^{-2})^2} = 0.2 \times 10^{-4} \times 10^4$

$= 0.2$ T

(2) $B = \dfrac{5.6 \times 10^{-3}}{20 \times (10^{-2})^2} = 0.28 \times 10^{-3} \times 10^4 = 2.8$ T

4 **1** S極 **2** N極 **3** N極 **4** S極
5 N極 **6** S極

2 磁気作用の応用

1 **1** 電磁力 **2** 電流 **3** 磁束 **4** 電磁力
5 フレミング

2 図5は①，図6は①，図7は②

3 **1** 電磁力 **2** 逆向き **3** BIl **4** トルク
5 N・m **6** $BIld$ **7** N

4 (1) $F = BIl = 0.2 \times 10 \times 0.3 = 0.6$ N
(2) $F = 0.2 \times 25 \times 0.3 = 1.5$ N

5 (1) $T = BIld = 2 \times 10 \times 0.2 \times 0.06$
$= 0.24$ N・m
(2) $T = 2 \times 25 \times 0.2 \times 0.06 = 0.6$ N・m

6 $T = 0.2 \times 250 = 50$ N・m

7 **1** 起電力 **2** 電磁誘導 **3** 起電力
4 誘導起電力 **5** コイルの巻数

8 (1) $e = N \dfrac{\Delta\Phi}{\Delta t} = 250 \times \dfrac{0.002}{0.05} = 10$ V

(2) $e = 250 \times \dfrac{0.005}{0.05} = 25$ V

9 **1** 磁束 **2** 運動 **3** 誘導起電力
4 フレミング **5** 磁束 **6** 自己誘導
7 自己誘導起電力 **8** 自己インダクタンス

10 $e = L \dfrac{\Delta I}{\Delta t} = 8 \times 10^{-3} \times \dfrac{5}{0.1} = 0.4$ V

3 静電気

1 **1** 帯電 **2** 帯電体 **3** 反発 **4** 吸引
5 静電力 **6** 積 **7** 2乗 **8** 静電気
9 負 **10** 正 **11** 静電誘導

2 (1) $F = 9 \times 10^9 \dfrac{Q_1 Q_2}{r^2}$

$= 9 \times 10^9 \times \dfrac{5 \times 10^{-6} \times 2 \times 10^{-6}}{(5 \times 10^{-2})^2}$

$= 36\,\mathrm{N}$

(2) $F = 9 \times 10^9 \times \dfrac{5 \times 10^{-6} \times 2 \times 10^{-6}}{(10 \times 10^{-2})^2}$

$= 9\,\mathrm{N}$

3 (1) $Q = CV = 20 \times 10^{-6} \times 100 = 2 \times 10^{-3}\mathrm{C}$

(2) $C = \dfrac{Q}{V} = \dfrac{600 \times 10^{-6}}{12} = 50 \times 10^{-6}$

$= 50\,\mu\mathrm{F}$

(3) $V = \dfrac{Q}{C} = \dfrac{0.05 \times 10^{-6}}{200 \times 10^{-12}} = 250\,\mathrm{V}$

4 **1** C_1V **2** C_2V **3** C_3V
4 $Q_1 + Q_2 + Q_3$ **5** $C_1V + C_2V + C_3V$
6 $C_1 + C_2 + C_3$

5 $C_0 = 2 + 3 + 5 = 10\,\mu\mathrm{F}$

6 **1** $V_1 + V_2 + V_3$ **2** Q **3** C_1
4 Q **5** C_2 **6** Q **7** C_3

8 $\dfrac{Q}{C_1} + \dfrac{Q}{C_2} + \dfrac{Q}{C_3}$ **9** $\dfrac{1}{C_1} + \dfrac{1}{C_2} + \dfrac{1}{C_3}$

10 $\dfrac{1}{C_1} + \dfrac{1}{C_2} + \dfrac{1}{C_3}$

7 (1) $C_0 = \dfrac{C_1 C_2}{C_1 + C_2} = \dfrac{8 \times 12}{8 + 12} = 4.8\,\mu\mathrm{F}$

(2) $Q = C_0 V = 4.8 \times 10 = 48\,\mu\mathrm{C}$

(3) $V_1 = \dfrac{Q}{C_1} = \dfrac{48 \times 10^{-6}}{8 \times 10^{-6}} = 6\,\mathrm{V}$

$V_2 = \dfrac{Q}{C_2} = \dfrac{48 \times 10^{-6}}{12 \times 10^{-6}} = 4\,\mathrm{V}$

第3章 交流回路

1 交流の取り扱い

1 **1** 周期 **2** 秒 **3** 周波数 **4** ヘルツ
5 ラジアン **6** 瞬時値 **7** 最大値
8 実効値 **9** 誘導性 **10** 容量性

2 (1) 0.02秒 (2) 0.0167秒 (3) 40 μs

3 **1** 180 **2** 540 **3** 90

4 $\dfrac{\pi}{6}$ **5** $\dfrac{\pi}{3}$ **6** 2π

4 $I = \dfrac{V}{R} = \dfrac{100}{50} = 2\,\mathrm{A}$

5 $R = \dfrac{V}{I} = \dfrac{100}{250 \times 10^{-3}} = 0.4 \times 10^3 = 400\,\Omega$

6 **1** 明るさ **2** 実効値 **3** $\sqrt{2}$ **4** 0.707

7 $V_m = \sqrt{2}\,V = \sqrt{2} \times 110 = 156\,\mathrm{V}$

8 (1) $v = 100\sqrt{2}\sin 2\pi \times 50t$

$= 100\sqrt{2}\sin 100\pi t$ [V]

(2) $v = 90 \sin 2\pi \times 60t$

$= 90 \sin 120\pi t$ [V]

9 **1** $I_m \sin(\theta - \theta_2)$ [A] **2** 位相，位相角
3 進んでいる **4** 遅れている

10 ベクトル図 同相

$\mathrm{O} \longrightarrow \dot{I}\ \dot{V}$

11 $R = \dfrac{V}{I} = \dfrac{100}{50 \times 10^{-3}} = 2 \times 10^3 = 2\,\mathrm{k}\Omega$

12 $X_L = 2\pi fL = 2 \times 3.14 \times 2 \times 10^3 \times 200 \times 10^{-3}$

$= 2.51\,\mathrm{k}\Omega$

13 $X_c = \dfrac{1}{2\pi fC} = \dfrac{1}{2 \times 3.14 \times 5 \times 10^3 \times 2 \times 10^{-6}}$

$= \dfrac{10^3}{62.8} = 15.9\,\Omega$

14 $i = \dfrac{v}{R} = \dfrac{100\sqrt{2}\sin\omega t}{1 \times 10^3}$ であるから，

i の実効値 I は，100 mA である。

交流 i は，次式となる。

$i = 0.1\sqrt{2}\sin\omega t$ [A]

15 $I = \dfrac{12}{2 \times 10^6} = 6 \times 10^{-6}\mathrm{A} = 6\,\mu\mathrm{A}$

i の実効値 I は，6 μA である。

交流 i は，次式となる。

$i = 6 \times 10^{-6}\sqrt{2}\sin(\omega t + 30^\circ)$ [A]

16 (1) 10 V (2) $2\pi ft = 2\pi \times 10^3 t$ であるから，

$f = 1000\,\mathrm{Hz} = 1\,\mathrm{kHz}$

(3) $2\pi fL = 2\pi \times 10^3 \times 60 \times 10^{-3} = 377\,\Omega$

(4) $I = \dfrac{V}{X_L} = \dfrac{10}{377} = 0.0265\,\mathrm{A} = 26.5\,\mathrm{mA}$

17 (1) 12 V (2) $2\pi ft = 40\pi \times 10^3 t$ であるから，$f = 20$ kHz

(3) $X_C = \dfrac{1}{2\pi fC} = \dfrac{1}{2\times3.14\times20\times10^3\times1.6\times10^{-6}}$
$= 4.98\,\Omega$

(4) $I = 2.41$ A

2 交流回路

1 (1) 100 V (2) $Z = \sqrt{30^2 + 40^2} = 50\,\Omega$

(3) i の実効値 $I = 2$ A

(4) $V_R = 30 \times 2 = 60$ V　$V_L = 40 \times 2 = 80$ V

(5) 60 Hz (6) $\theta = \tan^{-1}\dfrac{40}{30} = 0.927$ rad

2 (1) 20 V (2) $Z = \sqrt{40^2 + 30^2} = 50\,\Omega$

(3) 0.4 A (4) $V_R = 16$ V，$V_C = 12$ V

(5) 50 Hz (6) $\theta = \tan^{-1}\dfrac{30}{40} = 0.644$ rad

3 ①　②　③　④

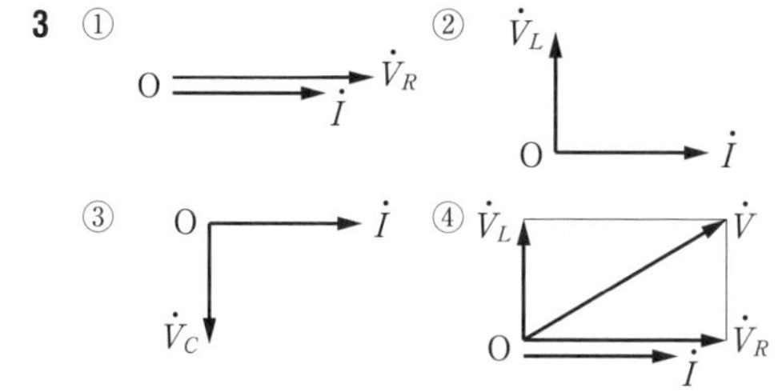

⑤

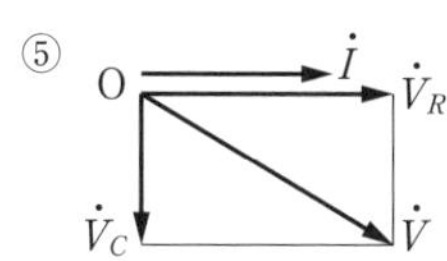

4

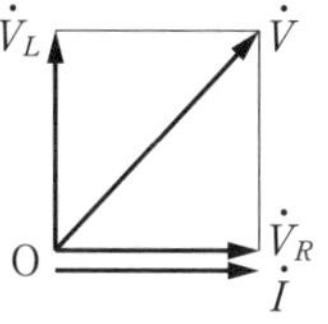

$\dot{I}$ を基準とすると，

$X_L = \dfrac{V_L}{I} = \dfrac{60}{2} = 30\,\Omega$，$\theta = \tan^{-1}\dfrac{30}{40}$
$= 0.644$ rad

$\dot{V} = 100 \angle 0.644$ [V]

$\dot{I} = 2 \angle \mathrm{O}$ [A] ［解説　この場合，遅れ電流が流れるという。］

5 (1) $X_L = 2\pi \times 50 \times 191 \times 10^{-3} = 60\,\Omega$

(2) $X_c = \dfrac{1}{2\pi \times 50 \times 106 \times 10^{-6}} = 30\,\Omega$

(3) $Z = \sqrt{40^2 + (60 - 30)^2} = 50\,\Omega$

(4) $V_R = 40 \times 0.5 = 20$ V

$\dot{I}$ を基準とすると，

$\theta = \tan^{-1}\dfrac{X_L - X_C}{R} = \tan^{-1}\dfrac{60-30}{40} = 0.644$ rad

$\dot{V} = 25 \angle 0.644$ [V]

$\dot{I} = 0.5 \angle \mathrm{O}$ [A] ［解説　$X_L > X_C$ なので，遅れ電流が流れる。］

$V_L = 60 \times 0.5 = 30$ V

$V_C = 30 \times 0.5 = 15$ V

$V = 50 \times 0.5 = 25$ V

(5)

6 (1) $f_0 = \dfrac{1}{2\pi\sqrt{LC}}$

(2) $f_0 = \dfrac{1}{2\pi\sqrt{10 \times 10^{-3} \times 25 \times 10^{-6}}} = 318$ Hz

3 交流電力

1 **1** 電圧 **2** 電流 **3** 力率
4，**5** 消費電力，有効電力 **6** ワット
7 皮相電力 **8** ボルトアンペア
9 無効電力 **10** バール

2 **1** 変圧器 **2** 並列 **3** 力率
4 進相コンデンサ **5** コンデンサ始動誘導電動機
6 コンデンサモータ

4 三相交流

1 **1** 対称三相交流 **2**，**3** Y 結線，Δ 結線
4 相 **5** 相電流 **6** 線間 **7** 線電流

5 回転磁界と三相誘導電動機

1 $N_s = \dfrac{120f}{P}$ [min^{-1}]，$s = \dfrac{N_s - N}{N_s} \times 100\%$

2 $N_s = \dfrac{120 \times 60}{4} = 1800$ min^{-1}

3 $s = \dfrac{1500 - 1410}{1500} \times 100 = 6\%$

4 回転速度 $N = \dfrac{120f}{P}(1 - s) = \dfrac{120 \times 50}{6} \times (1 - 0.04) = 960$ min^{-1}

※すべり 4% は 0.04 を入れて計算する。

6 電気設備

1 **1** 特別高圧 **2** 配電線 **3** 電流
4，**5**，**6**，**7**，**8**，**9** 水力発電，風力発電，原子力発電，波力発電，地熱発電，太陽光発電（順不同） **10** 水力発電 **11** 火力発電 **12** 風力発

電　**13**　原子力発電　**14**　地熱発電　**15**　太陽光発電　**16**　燃料電池発電　**17**　バイオマス発電

2　特別高圧

3　低圧

4　**1**　一次巻線　**2**　二次巻線
3, **4**　巻数比，変圧比（順不同）　**5**　送電
6　配電　**7**　単相３線式　**8**　三相３線式
9　30A　**10**, **11**　100，200（順不同）
12　2　**13**　200　**14**　三相誘導電動機
15　受電設備　**16**　キュービクル受電設備

5　**1**　産業用ロボット　**2**　電車用電動機
3　旋盤　**4**　小型ポンプ

6　**1**　誘導加熱　**2**　誘電加熱　**3**　抵抗加熱

7　(1)　750 ルクス以上　(2)　全般照明
(3)　局部照明　(4)　光度［cd］（カンデラ）

8　**1**　電流　**2**　短　**3**　放電　**4**　紫外線
5　色　**6**　長　**7**　pn 接合　**8**　省エネルギー
9　ひじょうに長

9　①　c　②　b　③　d　④　g　⑤　e
⑥　a　⑦　f
(2)

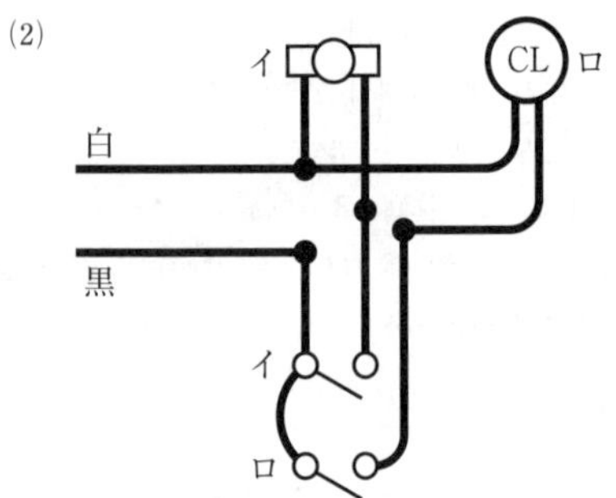

10　**1**　静電気　**2**　漏電　**3**　アース
4　漏電遮断器　**5**　短絡またはショート
6　感電　**7**　電流　**8**　静電気

11　**1**　絶縁試験　**2**　絶縁被覆　**3**　アース

12　**1**　絶縁被覆　**2**　電線　**3**　過電流

13　**1**　高電圧　**2**　裸　**3**　スイッチ
4　アース　**5**, **6**, **7**　ヘルメット，ゴム手袋，ゴム長靴（順不同）

14　**1**　速度　**2**　材料　**3**　高め
4　静電気　**5**　帯電

15　**1**　防水形　**2**　二重　**3**　防爆形
4　検電器　**5**　定格

16

(3)

(4)

第４章　電子回路

1　半導体

1　○でかこむものは次のとおりである。
シリコン，ゲルマニウム，セレン

2　**1**　電子　**2**　価電子　**3**　4　**4**　単結晶
5　−273℃　**6**　自由電子　**7**　正孔
8　減少　**9**　4　**10**　3　**11**　p 形半導体
12　4　**13**　5　**14**　n 形半導体

2　ダイオード

1

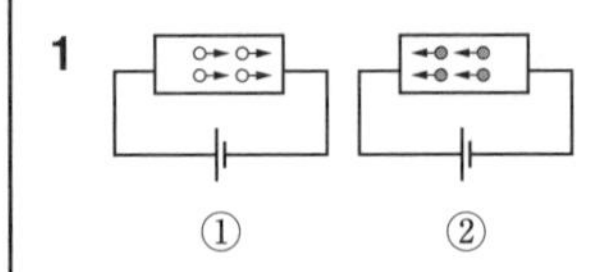

2　**1**　カソード　**2**　電子　**3**　正孔　**4**　アノード
順方向に接続した図は，図 A である。
電圧電流特性で正しいのは，③である。

3　**1**　A　**2**　オ　**3**　b
4　E　**5**　ア　**6**　e
7　D　**8**　ウ　**9**　a
10　C　**11**　エ　**12**　d
13　B　**14**　イ　**15**　c

3　トランジスタ

1　**1**　npn　**2**　pnp　**3**　エミッタ
4　コレクタ　**5**　ベース　**6**　エミッタ
7　ベース　**8**　正孔　**9**　コレクタ　**10**　和
11　ベース　**12**　スイッチ

2　**1**　pnp　**2**　npn

3　**1**　1.5×10^{-3}　**2**　10×10^{-6}　**3**　150

4　**1**　80　**2**　14.4

5　**1**　1.6　**2**　20×10^{-3}　**3**　80

6　**1**　ベース　**2**　負荷　**3**　結合　**4**　直流分
5　交流分　**6**　V_{BE}　**7**　V_{CC}　**8**　R_B
9　$I_C R_L$

7　**1**　周囲温度が上昇しても安定に増幅することができる増幅回路。
2　エミッタ安定抵抗
3　R_E にエミッタ電流 I_E が流れて V_E が生じる。
$V_B = V_{BE} + V_E$ から，$V_{BE} = V_B - V_E \fallingdotseq V_B - R_E I_C$ となり，温度上昇によって I_C が増加すると，V_{BE} が減少し，I_C の増加をさまたげる。
4　バイパスコンデンサ
5　交流信号を通し，R_E の両端に直流電圧を発生させる。
6　増加　**7**　増加　**8**　減少　**9**　減少

10 減少　**11** 図C

8 **1** ⓓ　**2** 電力増幅回路

9 **1** FET　**2** 大き　**3** 小さ　**4** 接合形

5 ソース　**6** ドレーン　**7** ゲート

8 ゲート　**9** ドレーン　**10** MOS形

10 **1** pnpn　**2** スイッチング

3 カソード　**4** ターン

11 **1** 磁界　**2** 電圧　**3** ホール　**4** 大き

5 図A　**6, 7** 硫黄，カドミウム　**8** 小さ

9 露出計　**10** 図B

4 電源回路

1 **1** ②　**2** ②

2 **1** 三端子レギュレータ　**2** 出力電圧

3 入力電圧　**4** 放熱器　**5** 電解

6 アース　**7** $(V_i - V_o) \times I_o$

3 **1** 脈流　**2** 平滑　**3** 平滑　**4** 順

5 電解　**6** 放電　**7** 半波　**8** 全波　**9** C

10 R

4

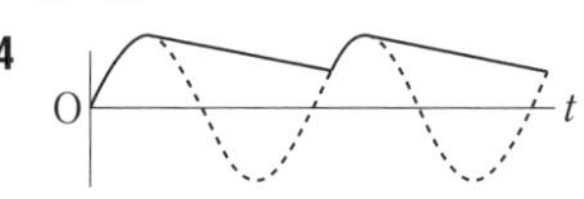

5 集積回路

1 **1** チップ　**2** 素子　**3** 半導体　**4** 小型

5 低価格　**6** 信頼度　**7** 設計　**8** 手間

9, 10 アナログ，ディジタル

2 **1** SIP形　**2** DIP形

3 **1** 集積度　**2** 機能別　**3** 構造別

4 **1** VLSI　**2** LSI　**3** MSI　**4** SSI

5 1000〜100000

5 **1** アナログ　**2** リニア　**3** 大き

4 大き　**5** 小さ　**6** 反転　**7** 非反転

8 R_f　**9** R_s　**10** 反転　**11** 反転

6 **1** 80×10^3　**2** 5×10^3　**3** 16　**4** 16

5 9.6 V

7 **1** 11011　**2** C5　**3** 2E　**4** 22

5 1100　**6** 628

8 **1** 5　**2** 点灯　**3** 0　**4** 消灯

5, 6 AND，論理積　**7** $A \cdot B$　**8** 0

12 F 1 0 t　　**9** 0　**10** 0　**11** 1　**13** 0

14 消灯　**15** 5　**16** 点灯

17, 18 NOT，否定　**19** $\overline{A}$　**20** 1　**21** 0

22 F 1 0 t

23 5　**24** 点灯　**25** 0　**26** 消灯

27, 28 OR，論理和

29 $A + B$　**30** 0　**31** 1　**32** 1　**33** 1

34 F 1 0 t

9 **1** $F = \overline{A \cdot B}$　**2** $F = \overline{\overline{A} \cdot B}$

3 $F = A \cdot B + C$

10 AND

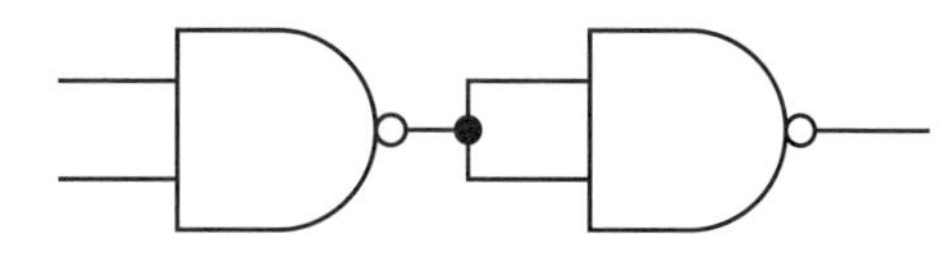

OR

$A + B = \overline{\overline{A + B}} = \overline{\overline{A} \cdot \overline{B}}$ より

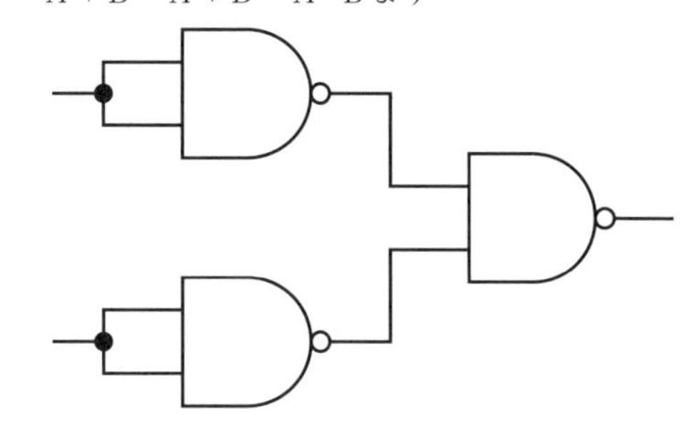

第５章　生産における制御技術

1 制御の基礎

1 **1**　目的　**2**　操作　**3**　自動制御
4　エレベータ　**5**　信号機　**6**　シーケンス制御
7　フィードバック制御

2 **1**　順序　**2**　逐次　**3**　制御量　**4**　操作量

3 **1**　NC 工作機械　**2**　産業用ロボット
3　管理　**4**　制御　**5**　環境　**6**　安全性
7　監視　**8**　ネットワーク化　**9**　制御データ
10　管理データ　**11**　情報　**12**　センサ
13　スイッチ　**14**　アクチュエータ
15　表示装置

4 **1，2，3，4，5，6**　光電センサ，近接センサ，温度センサ，超音波センサ，圧力センサ，流量センサ（順不同）

5 **1**　発光　**2**　受光　**3**　対面　**4**　透過
5　同じ向き　**6**　反射　**7**　反射　**8**　透過

6 (1)　電気抵抗
(2)　圧力により変形するダイヤフラムにひずみセンサを張り付け，ダイヤフラムのひずみを圧力に換算する。

7 (1)　・電気や流体などのエネルギーを得て，機械的動きに変換する機器のこと。
・機械や装置の駆動部を動かす機器のこと。
(2)　**1**　ソレノイド　**2**　電動機
3，4，5，6　直流電動機，交流電動機，サーボモータ，ステッピングモータ（順不同）

8 (1)　**1，2**　回転速度，回転量　**3**　サーボ機構
4　電動機　**5，6**　直流，交流（順不同）
(2)　**1，2，3**　回転検出器，制御回路，駆動回路（順不同）
(3)　回転検出器：回転体の円周に複数のスリットを取り付け，光電センサにより断続的な光を検出，カウントして回転速度などを測定する。
(4)　①　$400 \times 5 = 2000$ パルス
②　$360 \div 400 = 0.9$ 度
(5)　$120000 \times 2 \div 200 = 1200\,\mathrm{min}^{-1}$
(6)　**1**　ポートまたは出入口
2　シリンダチューブ　**3**　ポートまたは出入口
4　ピストン
(7)　**1**　圧縮性がある　**2**　圧縮性が少ない
3　直線　**4**　移動方向　**5**　方向制御弁
6　ポート　**7**　ソレノイド　**8**　電磁弁
(8)　$F = P \times S = 20 \times 300 = 6000\,\mathrm{N} = 6\,\mathrm{kN}$

9 **1，2，3**　ウ，オ，キ（順不同）
4，5，6，7　ア，イ，エ，カ（順不同）

10 (1)　**1**　電磁石　**2**　接点
3，4　ヒンジ形，リード形（順不同）
5　プランジャ形
(2)　**1**　コイル　**2**　大きな　**3**　負荷
4　電気信号　**5**　AC 電源　**6**　入力信号
7　開閉（制御）
(3)　**1**　コイル部　**2**　磁化　**3**　電磁力
4　吸引　**5**　スイッチ
(4)　**1**　タイマ回路　**2**　接点　**3**　時間
4，5　限時動作，限時復帰動作（順不同）
(5)　限時動作タイマ

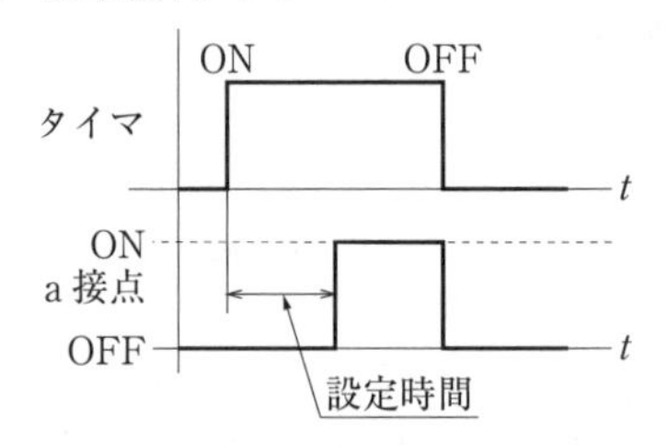

限時復帰動作タイマ

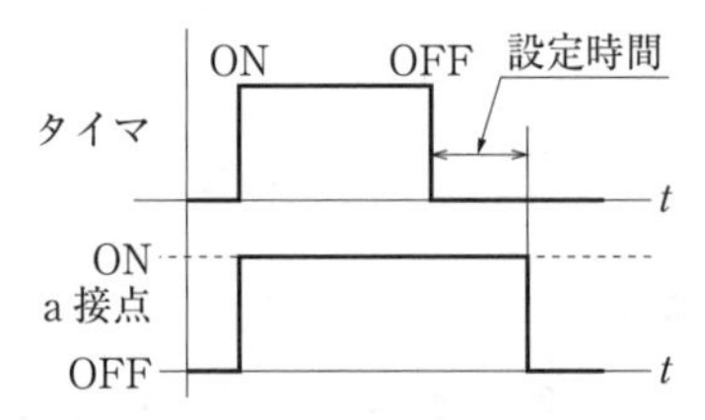

11 (1)　**1**　制御　**2**　展開接続図　**3**　横がき
4　縦がき　**5**　接続線　**6**　制御母線
7　電流
(2)　**1**　a　**2**　b　**3**　点灯　**4**　c　**5**　b
6　点灯　**7**　OR
(3)　**1**　リミットスイッチ a 接点
2　限時動作タイマ b 接点
3　限時復帰動作タイマ a 接点
4　押しボタンスイッチ b 接点
5　ランプ　**6**　電磁リレーコイル
7　タイマコイル
(4)　**1**　OR 回路　**2**　AND 回路
(5)

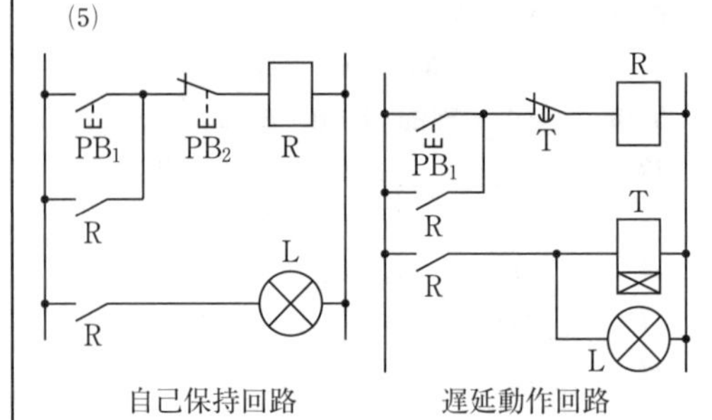

自己保持回路　　　遅延動作回路

12 (1) (2) (3) **1** シーケンス

2 マイクロコンピュータ **3** 制御プログラム

4 入力機器 **5** 出力機器 **6** リレー

7 タイマ **8** 入力端子 **9** 出力端子

10 要素番号 **11** カウンタ

12, **13** 電源, CPU（順不同） **14** 制御対象

15 独立 **16** 用途

13 (1) **1** グラフィック **2** テキスト

3 LD **4** FBD **5** IL 言語 **6** ST 言語

7 SFC

(2) **1** a 接点 **2** b 接点

3 リレーコイルまたは出力機器

(3) ① OUT ② OR ③ ANI ④ LDI

⑤ AND ⑥ LD ⑦ OUT ⑧ END

(4)

①のプログラムの答

ステップ番号	命令語	要素番号（デバイス）
0	LD	X001
1	AND	X002
2	OUT	Y001
3	END	

②のプログラムの答

ステップ番号	命令語	要素番号（デバイス）
0	LD	X001
1	OR	X004
2	OUT	Y002
3	END	

③のプログラムの答

ステップ番号	命令語	要素番号（デバイス）
0	LD	X001
1	OR	Y001
2	ANI	X003
3	OUT	Y001
4	END	

④のプログラムの答

ステップ番号	命令語	要素番号（デバイス）
0	LD	X001
1	OR	M100
2	ANI	X004
3	OUT	T010
		K30
6	OUT	M100
7	LD	T010
8	OUT	Y002
9	END	

14 (1) **1** 制御 **2** 目標値 **3** 検出部

4 比較部 **5**, **6** 制御部, 操作部

7 制御対象 **8** 比較 **9** 制御量

(2) **1** 制御部 **2** 操作部 **3** 制御対象

4 検出部 **5** 目標値 **6** 比較部

7 制御（量） **8** 検出（量）

(3) **1** 定値制御 **2** 追従制御

3 サーボ制御 **4** プロセス制御

2 コンピュータ制御

1 (1) パーソナルコンピュータ

(2) ワンチップマイクロコンピュータ

2 (1) **1**, **2** 制御装置, 演算装置

(2) **1** 読み出し専用メモリ

2 読み出し書き込みメモリ

3 (1) 入力装置 (2) 記憶装置

(3) 制御装置 (4) 出力装置 (5) 演算装置

4 (1) アドレスバス：アドレス（番地）信号を転送

(2) データバス：データ信号を転送

(3) コントロールバス：制御信号を転送

5 **1** 制御装置 **2** 主記憶装置 **3** 演算装置

4 入出力装置

6 **1** 電圧 **2** ディジタル **3** 2進

4, **5** 10進, 16進（順不同）

7 (1) アナログ信号 (2) ディジタル信号

(3) 並列信号（パラレル信号）

(4) 直列信号（シリアル信号）

8 **1** 橋渡し **2** 性質 **3** 種類 **4** 大きさ

5 伝送の方式 **6** タイミング

9 (1) アナログ信号をディジタル信号に変換すること。

(2) パラレル信号（並列信号）をシリアル信号（直列信号）に変換すること。

10 **1** タイミング **2** 正確 **3** 入出力データ
4 受け手側 **5** ラッチ
6 コントロール信号 **7** ハンドシェイク
11 (1) **1** インタフェース **2** コンピュータ側
3 外部機器側 **4** 接続ポート
5, 6 駆動，信号発生（順不同）
(2) **1** LED 点灯回路 **2** 信号発生回路
3 LED **4** 光 **5** ホトトランジスタ
6 電気信号 **7** 1（ハイ） **8** 0（ロー）
9 発光素子 **10** 受光素子
(3) **1** コレクタ側 **2** ベース **3** 正の電圧
4 コレクタ電流 **5** 閉じる **6** 交流電流
7 シリンダ **8** 0 V **9** 止まり
10 もとの状態
12 **1** 駆動装置 **2** データ **3** インタフェース
4 ソフトウェア **5** タイミング **6** 判断
7 機能拡張 **8** OS **9** ハードウェア
10 タスク管理 **11** 開発 **12** 分業化
13 メンテナンス **14** 効率化
13 **1** 命令解読実行 **2** データバス
3 データメモリ **4** 汎用レジスタ
5 入出力ポート **6** AD 変換
14 主記憶装置，メモリ，インタフェース，
タイマ，クロック発振回路
15 **1** 発光部 **2** LED **3** 受光部 **4** PSD
5 アナログ **6** AD **7** 比較 **8** 素子
9 衝突 **10** 安全
16 **1** エ **2** ウ **3** ア **4** カ **5** オ **6** イ

3 ネットワーク技術

1 (1) ①ローカル・エリア・ネットワーク
・限られた範囲内で，コンピュータを接続して構築されたネットワークのこと。
・工場内など狭い範囲のネットワークのこと。
② ワイド・エリア・ネットワーク
・LAN どうしを接続して，ネットワーク範囲を拡張したネットワークのこと。
・工場・本社間など広範囲のネットワークのこと。
(2) **1** 異なるメーカの機種を接続できる。
2 伝送路を容易に移動したり変更したりすることができる。
3 伝送速度が高速・大容量である。
4 リアルタイムに応答できる。
5 高温や粉じんなどの環境にも耐える。
6 ノイズに強い。
2 (1) **1** LAN **2** イーサネットユニット
3 IP アドレス **4** 生産状況 **5** 監視
6 指示
(2) **7** 外部機器 **8** 入出力 **9** ロボット
10 データメモリ **11** 管理 **12** マスタ局
13 ローカル局 **14** 割付設定
3 (1) **1** 光ファイバケーブル **2** 光通信網
3 効率 **4** ノイズ **5** 高速 **6** 大容量
7 海底ケーブル **8** インターネット回線
(2) **1** 配線を必要以上に長くしない。
2 電気機器から遠ざけて配線する。
3 シールドが強化されたケーブルを使用する。

第6章　ロボット技術

1 ロボットの基礎

1　第一次産業：自然界に対してはたらきかけ，作物を作ったり，採取したりする産業。農業，林業，漁業などが当てはまる。

第二次産業：自然界からとったりしたものを使って加工する産業で，工業や建設業などが当てはまる。鉱業もここにふくまれる。

第三次産業：第一次産業，第二次産業のどちらにも当てはまらない産業。商業，金融業，運輸業，情報通信業，サービス業などが当てはまる。

2　(1)　溶接線を検出するセンサ。

(2)　溶接ワイヤを被溶接物に接触させることによって，その位置を検出するセンサ。

3　安全柵が不要なので，狭いスペースに設置できたり，自由に移動したりすることが可能。また，『協働ロボットに重いワークを持たせた状態で作業者が組付けをする』ことや，ジグなしでも空間に位置決めが可能になる。

【その他の利点】専門教育が不要である。専門の技術者でなくてもティーチングが行える。

4　①　動きが遅い。協働ロボットは安全に停止できる事を前提に設計されているため，産業用ロボットに比べ，最高動作速度が遅く設定されている。

②　可搬重量が小さい

5　①　イ　②　エ(オ)　③　ウ　④　ア　⑤　オ

6　$減速比=\dfrac{z}{(z+2)-z}=\dfrac{z}{2}=\dfrac{240}{2}=120$

2 ロボットの制御システム

1　(1)　イ　(2)　オ　(3)　ア　(4)　キ　(5)　イ，ウ　(6)　カ　(7)　エ

2　(1)　ウ　(2)　イ　(3)　ウ　(4)　ア　(5)　イ

3　**1**　PTP　**2**　CP　**3**　曲線

4　$P_r=\dfrac{L}{t}=\dfrac{20000}{4}=5000$ パルス/s

5　$P_a=\dfrac{P_r}{t_a}=\dfrac{8000}{0.4}=20000$ パルス/s^2

6　$L_a=\dfrac{P_r\times t_a}{2}$

式変形

$$P_r=\frac{L_a\times 2}{t_a}$$

$$=\frac{4000\times 2}{0.5}=16000 \text{ パルス/s}$$

$$P_a=\frac{P_r}{t_a}=\frac{16000}{0.5}$$

$$=32000 \text{ パルス/s}^2$$

3 ロボットの操作と安全管理

1　**1**　遠隔教示　**2**　直接教示　**3**　間接教示

2　作業の連携不足や教示作業などに関する知識不足が原因。複数の作業員でロボットの教示などをする場合の綿密な連携の取り決め，ロボットの作業にかかる作業者への特別教育の実施が災害防止につながる。

第７章　生産の自動化技術

1 CAD/CAM

1 **1**，**2**，**3**　設計の効率化，設計者の負担軽減，CADデータの有効活用（順不同）
4　二次元CAD　**5**　形状モデル
6　三次元CAD　**7**　CAM

2 **1**　コンピュータ　**2**　図形入力
3　操作メニュー　**4**　レイヤ

3 **1**　立体的　**2**　組み立てる　**3**　干渉
4　強度解析　**5**　シミュレーション　**6**　短く
7　環境保護　**8**　プレゼンテーション

4 **1**　CAD　**2**　CAM　**3**　一貫　**4**　自動化

5 **1**　コンピュータ援用エンジニアリング（CAE）
2　コンピュータ援用検査システム（CAT）

2 NC工作機械

1 **1**　家畜　**2**　蒸気機関　**3**　タービン発電機
4　モータ　**5**　測定技術　**6**　マシニングセンタ
7　立体構造

2 (1)　①　主軸台：回転速度を無段階に制御できるモータや，主軸の回転角度を検出する位置検出器が組み込まれている。
②　送り機構：サーボモータの動力をボールねじで伝達し，旋回刃物台を上下方向（X軸）と左右方向（Z軸）にそれぞれ駆動する。
③　刃物台：刃物台を旋回させて刃物の交換をするなどの割出しを行うことができる。
④　ベッド：ベッド形状には，水平形や傾斜形などがあり，現在では段取り作業が容易にできる傾斜形が多く用いられる。
⑤　ツールセッタ：刃先をセンサに当てて押すと，タッチ信号がNC装置に出力され，刃先位置が自動で検出される。
(2)　①　工具マガジン　②　APC
③　automatic tool changer

3 生産の自動化システムの構成

1 **1**　ファクトリーオートメーション（FA）
2　フレキシブル生産システム（FMS）

2 **1**　ネットワーク　**2**　無人化工場

3 (1)　Quality　品質，Cost　コスト，Delivery　納期
(2)　Plan　計画，Do　実施，Check　確認，Action　処置
(3)　man　人，machine　機械，material　材料，method　方法，money　資金（順不同）

4 **1**　15　**2**　30　**3**　40　**4**　25日前

5 (1)　すべての工程が，後工程の要求に合わせて，必要なものを必要なときに必要な量だけ生産・供給する生産方式である。
(2)　人の手の代わりに機械が動くという意味の自動に加え，異常時には機械が自動的に停止する機能をもつようにすること。
(3)　つくり過ぎのムダ　手持ちのムダ
運搬のムダ　加工のムダ　在庫のムダ
動作のムダ　不良のムダ（順不同）

6 ①　MRPに作業者や設備などの資源も管理対象とし，加えて製造や購買などを計画し，管理する総合的な生産管理システムである。
②　MRP Ⅱに需要予測の要素を加えたもの

7 **1**　業務システム　**2**　基幹業務　**3**　管理
4　経営活動　**5**　サービス　**6**　ネットワーク
7　需要情報　**8**　企業間　**9**　在庫
10　顧客満足

24(02)